CEDRIC MORRIS
a LETT HAINES

DYSGU, CELFYDDYD A BYWYD

CEDRIC MORRIS
a LETT HAINES

DYSGU, CELFYDDYD A BYWYD

Ben Tufnell

Gyda chyfraniadau gan Nicholas Thornton
a Helen Waters

Clawr blaen:
Cedric Morris, *Yr Wyau,* 1944
Tate, Llundain
(rhif 35)

Clawr cefn:
Lett Haines, *Yr Helfa Lewod,* 1929
Casgliad preifat
(rhif 63)

Blaenddalen:
Ffig. 1. **Cedric Morris a Lett Haines gyda Rubio y macaw.**

ISBN 0 7200 0532 9

Cyhoeddwyd gan Wasanaeth Amgueddfeydd ac Archaeoleg Norfolk, ac Amgueddfeydd ac Orielau Cenedlaethol Cymru ar gyfer yr arddangosfa *Cedric Morris a Lett Haines: Dysgu, Celfyddyd a Bywyd,* Amgueddfa ac Oriel Castell Norwich Hydref 21 2002 – Ionawr 5 2003 a'r Amgueddfa ac Oriel Genedlaethol, Caerdydd, Ionawr 25 – Ebrill 27 2003.

Cynlluniwyd gan Gerry Downes

Argraffwyd ym Mhrydain gan Reflex Litho Ltd

Cynnwys

Rhagair

Mae'r cyhoeddiad hwn yn nodi'r hyn sy'n addo bod yn ennyd bwysig wrth ailasesu gyrfaoedd dau o brif dalentau'r byd celfyddyd ym Mhrydain yn yr ugeinfed ganrif. Mae Cedric Morris, ac yn arbennig Lett Haines wedi dihoeni yn ormodol ym merddwr celfyddyd Prydain, gyda'u henwau yn gysylltiedig â'r trai yn hytrach nag â'r llanw. Ond fel y gwelir yn glir yn y traethodau a gynhwysir yn y cyhoeddiad hwn, mae hon yn farn sydd mor gyfyng ei phersbectif fel ei bod yn anodd i'w chyfiawnhau. Esgeuluswyd effaith eu gwreiddiau Ewropeaidd, ynghyd ag ymlyniad cryf Morris wrth Gymru a'u gyrfa ar y cyd fel athrawon celf a gadwai at egwyddorion radical y *cours libre* am yn rhy hir o lawer.

Mae *Cedric Morris a Lett Haines: Dysgu, Celfyddyd a Bywyd* yn ehangu ein gwerthfawrogiad o orchest y ddau artist drwy arddangos y persbectif ehangach hwn. Mae gweithiau gan fyfyrwyr nodedig, yn arbennig Lucien Freud a Maggi Hambling, yn dangos cyd-orchest ac ysbrydoliaeth unigol Cedric a Lett wrth feithrin unigolyddiaeth yn eu myfyrwyr. Gwelodd yr *East Anglian School of Painting and Drawing* (EASPD), a sefydlwyd yn gyntaf ym 1937 yn The Pound yn Dedham, Essex, ac yna yn Benton End gerllaw, gyfres o fyfyrwyr, ac mae llawer ohonynt yn parhau i werthfawrogi'r amgylchedd anarferol ac ysbrydoledig oedd yn yr EASPD. Drwy gydol y cyfnod hwn, cadwodd Cedric ei gysylltiadau â Chymru, gan addysgu glowyr a sefydlu cynhaliaeth sefydliadol i gelfyddyd ac artistiaid yn ei wlad enedigol.

Man cychwyn yr arddangosfa hon oedd trafodaethau rhwng Andrew Moore ac Oliver Fairclough, Ceidwad Celfyddyd Castell Norwich ac Amgueddfeydd ac Orielau Cenedlaethol Cymru yn eu tro. Ben Tufnell, Curadur Cynorthwyol yn Tate Britain yw curadur gwadd yr arddangosfa, ac mae wedi trefnu'r arddangosfa ynghyd â Nicholas Thornton, Curadur Celfyddyd Castell Norwich a Tim Egan, Cofrestrydd Amgueddfeydd ac Orielau Cenedlaethol Cymru.

Fyddai'r arddangosfa ddim yn bosibl heb gymorth gweithredol nifer o bobl. Aiff ein diolch yn benodol i'r benthycwyr sydd wedi rhyddhau eu paentiadau. Yn arbennig hoffem hefyd fynegi ein diolch i Syr Peter a'r Fonesig Wakefield am eu cefnogaeth drwy gydol y prosiect, ynghyd â Maggi Hambling, a Glyn a Jean Morgan, sydd hefyd wedi bod yn gefnogwyr brwd ac wedi rhoi eu hamser yn hael o'r dechrau. Mae Richard Morphet (fu'n guradur ar arddangosfa adolygol Cedric Morris yn Oriel y Tate ym 1984) a Maggie Thornton a Richard Gault yn Oriel Redfern hefyd wedi cynnig cyngor gwerthfawr. Yn ogystal, hoffem ddiolch i Ronald Blythe, Richard Calvocoressi, Michael Chase, Sally Dummer, Terry Danziger Miles, William Feaver, Anne Lutyens-Humphrey, Andrew Murray, Gwynneth Reynolds a'r diweddar Bernard Reynolds, Jenny Robinson, Robert Short, Patricia Scanlan, Hannah Spooner,

Katherine Wood, Bod Wright a'r staff yn archif y Tate.

Aiff diolch arbennig i Ganolfan Paul Mellon ar gyfer Astudiaethau Celfyddyd Brydeinig sydd, yn hael iawn, wedi ariannu cyhoeddi'r catalog hwn. Wrth wneud hynny, maent wedi galluogi Ben Tufnell i ymchwilio i archif Morris yn Tate Britain a chynnal cyfweliadau i ddod â gwybodaeth newydd i'r golwg. Cefnogwyd gwaith cynnar Ben ar yr EASPD gan Grant Teithiol Jane Thistlethwaite, a ddyfarnwyd gan Gyfeillion Amgueddfeydd Norwich. Mae Nicholas Thornton wedi cyfrannu traethawd craff ar Lett Haines, y mae ei waith wedi'i esgeuluso mor aml wrth olrhain hanes celfyddyd Brydeinig. Mae Helen Waters, oedd hyd yn ddiweddar yn Guradur Cynorthwyol (Celfyddyd Fodern) yn Amgueddfeydd ac Orielau Cenedlaethol Cymru, yn tanlinellu yn gelfydd wreiddiau Cymreig Cedric, yn ogystal â'i gysylltiad â Chymru gydol ei oes. Cofiwn hefyd am gyfraniad y timau celfyddyd ac arddangosfeydd yn Norwich a Chaerdydd sydd wedi dod â'r prosiect i fod. Rydym yn arbennig o ddiolchgar i Sefydliad Celfyddyd East Anglia am eu cyfraniad ariannol hanfodol, ac i Ysgol Gelf a Dylunio Norwich am eu cefnogaeth i'r prosiect fel arwydd o bartneriaeth rhwng yr Ysgol ac Amgueddfa ac Oriel Gelf Castell Norwich.

Vanessa Trevelyan
Pennaeth Amgueddfeydd ac Archaeoleg Norwich

Michael Tooby
Cyfarwyddwr, Amgueddfa ac Oriel Genedlaethol, Caerdydd

Ffig. 2. Cedric Morris ym Mharis, 1920au cynnar

Cyflwyniad

Ben Tufnell

Yr *East Anglian School of Painting and Drawing* (EASPD), a sefydlwyd ym 1937 gan Cedric Morris (1889 – 1982) ac Arthur Lett (1894 – 1978) yw un o sefydliadau mwyaf nodedig celfyddyd Brydeinig yr ugeinfed ganrif. Ymhell o'r byd celfyddyd metropolitan, creodd Morris a Lett ysgol nad oedd yn gosod amodau caeth o ran y math o gelfyddyd yr oedd yn ei hannog, y dulliau yr oedd yn eu defnyddio, ac a ysbrydolodd lefel ryfeddol o ymroddiad a theyrngarwch ymhlith y myfyrwyr. Aeth rhai cannoedd o fyfyrwyr drwy EASPD, yn aros am gyfnodau yn amrywio o ychydig ddyddiau i fisoedd lawer. Dychwelodd nifer sylweddol flwyddyn ar ôl blwyddyn am nifer o ddegawdau. Roedd yr ysgol yn lle oedd yn tanlinellu agwedd benodol at gelfyddyd a bywyd a chymysgedd fywiog o'r ddau, lawn cymaint â bod yn lle i ddysgu paentio a darlunio. Nodwedd amlwg oedd ymdeimlad cryf o gymuned oedd yn seiliedig ar gariad at gelfyddyd, cariad at fywyd a'r awydd i adael i'r naill gyfoethogi'r llall. Wrth wraidd yr amgylchedd cyffrous, ecsentrig ac egsotig hwn roedd cymeriadau hollol wahanol ac idiosyncratig y ddau sylfaenydd.

Mae'r cyhoeddiad hwn, a'r arddangosfa y mae'n ategu ati, yn archwilio eu gwaith mewn dyfnder. Mae'r detholiad o waith Morris yn canolbwyntio ar y darluniau hynod o flodau, efallai yr agwedd fwyaf enwog o'i *oeuvre*, ac mae'r portreadau amrwd ac anesmwyth yn siŵr o fod yn cynrychioli ei orchest fwyaf radical. Mae Helen Waters wedi ysgrifennu traethawd dadansoddol ynghylch ymrwymiad dwfn Morris i wlad ei febyd, Cymru. Yn athro enwog ac ysbrydoledig, roedd Lett ei hun yn artist dyfeisgar a hudol. Mae'r arddangosfa yn cynnwys yr arolwg amgueddfa cyntaf o'i waith mewn bron i ddeng mlynedd ar hugain ac mae Nicholas Thornton wedi ysgrifennu'r archwiliad manwl cyntaf o'i gelfyddyd.

Ni all y llyfr hwn na'r arddangosfa obeithio cyflwyno unrhyw fath o adroddiad diffiniol o'r Ysgol yn y gofod sydd ar gael. O ganlyniad gwnaed y penderfyniad anodd i gyfyngu'r detholiad o fyfyrwyr i bump yn unig, a phob un yn cynrychioli cyfnodau gwahanol o'r Ysgol, a'r amrywiaeth o agweddau oedd yn cydfodoli – cyferbyniad a adlewyrchid yng ngwaith y ddau athro. Mae llawer o artistiaid diddorol wedi gorfod cael eu hepgor, gan gynnwys Michael Wishart, Bernard Reynolds, Joan Warburton ac Esther Grainger.[1]

Roedd gan Morris a Lett Haines ystod rhyfeddol o eang o ffrindiau a chysylltiadau. Yn ogystal â'r myfyrwyr, roeddent bob amser yn hael yn y gefnogaeth a roddent i artistiaid llai sefydledig na hwy eu hunain. Drwy gynnwys Frances Hodgkins rydym yn bwrpasol wedi ehangu cwmpas yr arddangosfa i ystyried y nifer fawr o ffrindiau a chydnabod a dderbyniodd gymorth ymarferol ganddynt. Ymhlith artistiaid eraill a dderbyniodd gefnogaeth o'r math hwn, ac y gellid bod wedi eu cynnwys yn y sioe mae Christopher Wood, John Banting a Katherine Hale.[2] Er enghraifft, etholwyd Wood i'r Gymdeithas 7&5, sef y grŵp artistiaid mwyaf blaengar yn Lloegr ar y pryd, yn yr un cyfarfod â Morris ym 1926. Rhoddai werth mawr iawn ar ei farn, ac ym 1928 ysgrifennodd o Lydaw yn ei annog yn gryf i ymweld ag Oriel Tooth's yn Llundain ac i roi beirniadaeth o'i baentiadau newydd iddo. Mae'n debyg iddo hyd yn oed ystyried symud i Swydd Suffolk i fyw gyda Morris, yr oedd yn ei ystyried yn fentor. Ysgrifennodd Lett fod 'Kit yn meddwl y byd o Cedric ac yn awyddus iawn i ddod i fyw atom ni yn Higham ond yn ei ddiniweidrwydd, ei anwybodaeth a'i ragfarn, ysgrifennodd Cedric ato i ddweud na allai ddod i fyw atom ni oni bai ei fod yn rhoi'r gorau i gyffuriau'.[3] Aeth i aros, yn hytrach, gyda Ben a Winifred Nicholson. Mae dylanwad Cedric ar Wood yn amlwg iawn, yn arbennig yn ei baentiadau Llydewig. Yn wir, trip Morris i Lydaw ym 1927, a'r paentiadau a ddaeth yn ôl gydag ef oedd yr ysbrydoliaeth i Wood ymweld â'r wlad a phaentio rhai o'i luniau enwocaf a mwyaf poblogaidd.

Amcan y cyhoeddiad hwn a'r arddangosfa yw arddangos cyfoeth gwaith yr Ysgol, a ddiystyrwyd fel rhyw fath o hynodrwydd rhanbarthol, 'ysgol haf wedi'i mawrygu',[4]

heb fod iddi ddifrifoldeb, rywsut. Mae hyn yn amlwg yn anghywir. Yng nghyd-destun y cyfnod, roedd yr EASPD yn cynrychioli safbwynt radical. Os gellir nodweddu dull dysgu'r ysgol yn fras fel un oedd yn dilyn egwyddorion *cours libre*, roedd athroniaeth sylfaenol yr ysgol – mewn bywyd ac mewn celfyddyd – yn un o ryddid rhag dogma ym mhob ystyr.

Nodiadau

1. Roedd Michael Wishart yn fyfyriwr rhwng 1949-50 a
phriododd gyd-fyfyriwr, Ann Dunn, ym 1950. Roedd
Bernard Reynolds yn fyfyriwr o 1945, a phriododd gyd-
fyfyriwr, Gwyneth Griffiths, ym 1950. Roedd Joan
Warburton yn fyfyriwr rhwng 1937-40. Dysgodd Esther
Grainger gyda Cedric yng Nghymru a mynychodd
Benton End o 1947.

2. Roedd John Banting yn agos i Cedric a Lett ym
Mharis yn yr 20au (a phaentiodd Cedric bortread ohono
yn ystod ymweliad â Ceret ym 1923) ac roedd yn
ymwelydd cyson â The Pound a Benton End. Mae
celfyddyd Banting, a fabwysiadodd dueddiadau
swrrealaidd yn ddiweddarach, yn agosach i waith Lett
na Cedric. Roedd Kathleen Hale, a greodd *Orlando the
Marmalade Cat*, wedi adnabod Cedric a Lett ym Mharis
ac yn Llundain yn yr 20au a symudodd i Swydd Suffolk
yr un pryd â hwy. Roedd yn gariad i Lett, ac roedd yn
ymwneud yn agos â Benton End hyd at y 60au, gan
gadw ystafell yn y tŷ yn aml. Gweler James Beechey
'The "magic world" of Cedric Morris & Lett Haines' yn
Kathleen Hale, cat. ardd., Michael Oarkin Fine Art/Oriel
Redfern Llundain 2001. Dylid nodi fod Cedric yn un o
gylch o artistiaid/blanwyr, wedi'u sefydlu yn Swydd
Suffolk gan fwyaf, oedd yn cynnwys John Nash, John
Aldridge, Rowland Suddaby, John Morley ac eraill. Mae
hyn hefyd y tu hwnt i gwmpas yr arddangosfa a'r
cyhoeddiad presennol.

3. Lett, llythyr drafft i John Allen, TGA 8317.1.1.23

4. William Feaver *Lucian Freud* cat. ardd. Tate Britain
2002 tud 17

Ffig. 3. O'r chwith i'r dde: David Kentish, Lucian Freud a David Carr c.1939

Yr *East Anglian School:* 'ymgais ar y cyd i gynhyrchu paentio diffuant'

Ben Tufnell

Blynyddoedd Cynnar

Er mwyn deall yr ymgais a ymgorfforwyd gan EASPD, mae angen braslun o'r digwyddiadau a arweiniodd at ei sefydlu, ac olrhain symudiadau Cedric a Lett o Gernyw ym 1919 hyd at ddechrau'r 1930au, pan ymsefydlodd y ddau yn Swydd Suffolk. Roedd eu profiadau yng Nghernyw, Paris (yn arbennig) a Llundain yn lliwio eu hagweddau at gelfyddyd, rôl celfyddyd mewn bywyd a dysgu celfyddyd. Mae hon ynddi ei hun yn stori ryfeddol a does ond gobeithio y gwnaiff rywun ryw ddydd roi ymgais ar gofiant a fyddai, o ystyried yr amrediad o bobl yr oeddent yn eu hadnabod, yn un arbennig iawn. Yn sicr does dim prinder deunydd: mae archif Morris yn Tate Britain yn cynnwys bron i 5,000 o eitemau o ohebiaeth a phapurau yn ymwneud â'r Ysgol, yn ogystal â dyddiaduron a llyfrau nodiadau Lett.[1] Fodd bynnag, ar gyfer y cyhoeddiad hwn rhaid i ni ein cyfyngu ein hunain i olrhain eu symudiadau a datblygiad eu syniadau am gelfyddyd. Cyfeirir unrhyw un sydd am gael hanes cofiannol manylach at gatalog rhagorol Richard Morphet ar gyfer arddangosfa adolygol Cedric Morris yn Oriel Tate.[2]

Ganwyd Cedric Morris yn ne Cymru ym 1889. Bu ganddo nifer o swyddi, gan gynnwys gweithio ar fferm yng Nghanada, cyn treulio cyfnod byr yn astudio canu yn y Coleg Cerdd Brenhinol. Torrwyd ar gyfnod byr iawn yn astudio celfyddyd ym Mharis ym 1914 gan y rhyfel a threuliodd y Rhyfel Byd Cyntaf yn yr 'Artist's Rifles', yn hyfforddi ceffylau gydag AJ Munnings. Fe'i rhyddhawyd ym 1917 ac aeth i Zennor yng Nghernyw. Yno y cyfarfu â Frances Hodgkins am y tro cyntaf, a phaentiodd bortread dyfrlliw ohoni sydd bellach yn y Tate. Roedd yn Llundain ar (neu yn fuan iawn ar ôl) Diwrnod y Cadoediad ym 1918, a dyna pryd y cyfarfu â Lett. Ganwyd Arthur Lett-Haines (a adnabuwyd fel Lett bob amser) ym 1894 yn Llundain, ac roedd yn briod pan gyfarfu â Cedric. Roedd wedi gwasanaethu yn y fyddin yn ystod y Rhyfel, ac roedd eisoes yn ymwneud â'r byd celfyddydol, ac wedi cael rhywfaint o hyfforddiant ffurfiol 'yn Chelsea'.[3]

Roedd y ddau yn gymeriadau cwbl wahanol i'w gilydd. Yn ddiweddarach ysgrifennodd Glyn Morgan eu bod 'mor wahanol o ran natur fel ei fod yn ymddangos yn amhosibl y gallai'r ddau fyw yn yr un adeilad....'[4] Disgrifiodd Joan Warburton y ddau fel hyn: 'Roedd Cedric a Lett yn hollol gyferbyniol:

roedd Cedric bob amser fel ef ei hun, yn reddfol ac wedi ymlacio: roedd Lett yn hynod o soffistigedig a deallusol, ni fynnai ffrwyno ei anghydffurfiaeth a gallai weld drwy ymhoniadau a gwendidau pobl. Roedd yn ddrafftsmon da iawn ac roedd ganddo lais ysblennydd o awdurdodol a ddefnyddiai er mantais iddo gyda'i ffraethineb hynod wreiddiol, gan beri anesmwythyd i eraill o dro i dro'.[5] Darluniodd Christopher Neave y gwahaniaethau rhyngddynt yn ddiweddarach yn eu bywydau drwy nodi y byddai 'Morris yn codi am 6am i chwynnu ei welyau gellesg, a chodai Haines a chael coctel mewn ystafell dywyll am hanner dydd'.[6]

Roedd Lett, fel artist ac fel arall, ynghlwm yn llwyr yn y cyfredol. Mewn cyferbyniad â Cedric, oedd yn caru natur, a honnai fod yn well ganddo gwmni adar ac anifeiliaid na phobl, ac oedd yn arddangos 'bodlonrwydd tebyg i greadur â'r amser presennol'[7] (ac felly roedd yn gas ganddo'r syniad o gofiant[8]), roedd Lett yn gartrefol yn y byd celfyddydol. Sgiliau rhwydweithio a threfnu Lett oedd yn gyfrifol am lwyddiant EASPD ryw ugain mlynedd yn ddiweddarach. Cadwai yn gyfredol â'r holl ddatblygiadau diweddaraf yn yr *avant-garde*, ac adlewyrchid hyn yn ei waith, a drafodir yn fanwl yn nhraethawd Nicholas Thornton. Ar y llaw arall, roedd Cedric, ar ôl cyfnod o arbrofi yn y 20au cynnar, pan fu'n archwilio ychydig i haniaeth a delweddaeth organig dan ddylanwad gweithiau metaffisegol de Chirico, yn cadw ei hun rywfaint ar wahân i ddatblygiadau yn yr *avant-garde*. Erbyn canol y 20au,

roedd wedi sefydlu yr hyn y gellid ei ddisgrifio fel ei arddull aeddfed, a pharhaodd hwn fwy neu lai heb newid hyd at ei farwolaeth. Mewn blynyddoedd diweddarach, er y gellir dosbarthu ei waith i gyfnodau ar sail eu pynciau, mewn termau ffurfiol, gwelir cysondeb rhyfeddol.

Yn amlwg, rhyngddynt roeddent yn creu grym cymdeithasol cryf. Roedd eu hystod o gysylltiadau yn rhyfeddol, eu partïon (a gynhelid lle bynnag yr ymsefydlent) yn chwedlonol, ac mae sôn amdanynt yn nifer o gofiannau'r cyfnod.

Yn fuan ar ôl Dydd y Cadoediad, symudodd Cedric i fyw gyda Lett a'i wraig, ac yn fuan wedi hynny, ymadawodd gwraig Lett i fyw yn America. Yn fuan wedi hynny, symudodd Cedric a Lett i fyw i Newlyn gyda'i gilydd. Yn Newlyn bu'r ddau yn byw mewn nifer o lefydd cyn creu tŷ mawr allan o res o fythynnod yn edrych dros yr harbwr a enwyd yn The Bowgie ganddynt, ac a ddisgrifiwyd gan Frances Hodgkins fel 'preswylfa ddyfodolaidd'.[9] Dechreuodd Cedric wneud ei baentiadau olew cyntaf (gweler *Tirlun yn Newlyn* 1919 rhif 3), sy'n nodedig am eu tueddiad i symleiddio a lleihau'r motiff i gyfres o wastadoedd llyfn. Yn Newlyn roedd eu cylch cymdeithasol yn cynnwys Ernest a Dod Proctor, Laura Knight a Mary Jewels (nee Tregurtha), Wyndham Lewis, Edward Wadsworth, Augustus John, a Frank Dobson a'i wraig Dorelia (y paentiodd Cedric ei phortread), ac roedd y rhain i gyd yn ymwelwyr cyson â The Bowgie. Fodd bynnag dros gyfnod y Nadolig 1920, gwerthodd y ddau yr eiddo yno a symud i Baris.

Yn ystod ei arhosiad byr yn Ffrainc ym 1914 roedd Cedric wedi cofrestru yn yr Académie Delacluse yn Rue Notre Dame des Champs ym Montparnasse. Nawr 'daeth yr Ystafell Fywyd yn yr Académie Delacluse, nad oedd bellach yn cael ei defnyddio, yn stiwdio (iddo), ac felly daeth yn fan cyfarfod i nifer o'i gyfoedion. Roedd Ford Madox Ford, Juan Gris, Fernand Léger, Hemmingway, Ossip Zadkine, Ezra Pound ac ensemble y Little Review yn agos iawn, a chynhaliwyd nifer o bartïon bywiog y cyfnod yno'.[10] Yn ogystal â'r rhai a enwyd uchod, roedd Cedric a Lett hefyd yn adnabod Marcel Duchamp, Man Ray (a dynnodd ffotograffau o Cedric), Peggy Guggenheim, Nancy Cunard, Foujita, Brancusi a llawer o bobl eraill.

Dechreuodd Cedric (nid yw'n glir a wnaeth Lett yr un fath) fynychu yr Académie Moderne (o dan Friesz, Lhote a Léger), yr Académie Suédoise, yr Académie Colorossi a'r Académie La Grande Chaumière. Roedd yr academïau hyn yn cael eu rhedeg ar y system *cours libre* (yn llythrennol 'cwrs rhydd' neu 'rwydd hynt'). Yn niwedd y bedwaredd ganrif ar bymtheg roedd academïau tebyg ym Mharis yn dysgu paentio academaidd yn y dull Salon, ac roedd y meistri (ffigurau fel Boucher) yn arddangoswyr amlwg yn y Salon blynyddol. Fel yn Lloegr ar yr un pryd, disgwylid i fyfyrwyr ddysgu drwy gopïo. Fodd bynnag erbyn y 20au roedd safonau a dulliau wedi'u llacio yn fawr. Bellach, anaml iawn y disgwylid gweld y meistr yn y stiwdio, ac ni ddisgwylid iddo dreulio llawer o amser yn gweithio gyda phob myfyriwr unigol. Beirniadaeth fer fyddai'r norm. Ni roddid

Cedric Morris, *Golygfa Café*, 1921 (rhif 46)

unrhyw gyfarwyddyd uniongyrchol i'r myfyriwr fel y cyfryw – ni roddid cyfarwyddyd ymarferol mewn technegau gosod paent, na theori cynllunio a lliw, ac ni osodid ymarferion na phrosiectau iddynt. Nid oedd cwrs fel y cyfryw, na dosbarthiadau, roedd y myfyriwr yn cyrraedd ac yn dechrau gweithio. Felly roedd hi'n bosibl i weithio mewn nifer o academïau ar yr un pryd. Gallai myfyriwr dreulio'r dydd yn paentio yn yr Académie Moderne cyn mynd ymlaen i fraslunio yn y Grande Chaumière neu'r Colorossi gyda'r nos. I fyfyriwr fel Cedric – oedd â chynneddf anghyffredin ond anacademaidd, ymdeimlad cryf o unigolyddiaeth, ac a oedd yn arswydo rhag disgyblaeth ac anhyblygrwydd er ei fwyn ei hun – roedd trefniant o'r fath yn ddelfrydol, gan adael iddo ddatblygu ar ei delerau ei hun a chanolbwyntio ar yr agweddau hynny o'i ymarfer oedd o wir ddiddordeb iddo. Roedd y profiadau hyn yn ffurfiannol, a phan aeth Lett a Cedric ati i sefydlu'r EASPD, egwyddorion *cours libres* oedd y rhai y byddent yn ceisio eu dilyn, wedi'u cymhwyso i ddealltwriaeth fwy holistig o'r amodau oedd eu hangen i feithrin a bwydo creadigrwydd.

Yn ystod y cyfnod hwn, roedd Lett wrthi'n creu'r dyfrlliwiau mawr uchelgeisiol fel *Cyfansoddiad* 1922 (rhif 57, tud 80), sy'n dangos yn glir ymwybyddiaeth o'r datblygiadau diweddaraf, ac sy'n dangos symudiad pendant, ond nid terfynol, tuag at yr haniaethol. Tra bod gwaith Lett yn ymddangos yn eithaf pendant yn y cyfnod hwn, roedd Cedric yn dal i fod yn arbrofi

ag arddulliau gwahanol ac mae'n debyg mai Lett oedd yr artist mwyaf adnabyddus a sefydledig. Syndod felly yw gweld erbyn 1926, pan symudodd y ddau yn ôl i Lundain, ar ôl i'r ddau gael sioeau yn Efrog Newydd, fod Lett wedi dechrau 'rheoli' gyrfa Cedric ar gost ei yrfa ei hun. Dyma fyddai'r drefn am yr hanner can mlynedd nesaf, gyda Lett yn rhoi ei waith ei hun yn eilbeth er mwyn hyrwyddo a threfnu gwaith Cedric, nad oedd ganddo unrhyw ddiddordeb mewn materion gweinyddol.

Erbyn canol i ddiwedd y 20au, roedd yr hyn y gellid ei galw yn arddull aeddfed Cedric wedi'i sefydlu a dechreuodd ei yrfa flodeuo â chyfres o arddangosfeydd a dderbyniodd glod gan y beirniaid ac a oedd yn llwyddiannus yn fasnachol. Gallodd Frances Hodgkins adrodd am ei sioe yn oriel Arthur Tooth yn Llundain ym 1928 fod 'Cedric ar adenydd llwyddiant digyffelyb – yn gwerthu ac yn gwerthu – dros 40 o luniau wedi mynd nawr....'[11] Erbyn 1930, a'i ail sioe yn oriel Tooth, dywedodd *The Scotsman* fod 'Cedric Morris yn sydyn wedi dod i fod "*the rage*" ... ystod anarferol o bynciau ... ffresni, gwreiddioldeb a diniweidrwydd agwedd ... Ni fu sioe un dyn bwysicach na'r hon o eiddo Morris yn ystod y misoedd diwethaf, ac mae hynny'n dweud llawer'.[12] Dangosodd ei waith yn y Biennale yn Fenis ym 1928 a 1932 ac yn y Carnegie International ym Mhittsburgh a Baltimore ym 1934. Yn ychwanegol fe'i etholwyd i'r Gymdeithas 7&5 ynghyd â Christopher Wood ym 1926 (cynigiwyd gan Winifred

Nicholson, eiliwyd gan Ben Nicholson), ac arddangosodd gyda'r grŵp yn gyson hyd at 1932.[13] Byddai llwyddiannau o'r fath yn creu cyfres o broblemau a fyddai yn y pen draw yn arwain ato ef a Lett yn gadael Llundain a sefydlu'r EASPD.

Roedd yr amlygrwydd cynyddol yn golygu mwy o alwadau am ddarluniau i'w harddangos. Roedd galw hefyd am ddarluniau o fath penodol: y rheiny fyddai'n gwerthu (i Morris, roedd hyn yn golygu paentiadau blodau, yr unig agwedd o'i waith sy'n gwbl absennol o'r grŵp sylweddol o luniau oedd ar ôl yn ei Ystâd pan fu farw). Arweiniodd datblygiadau o'r fath (ac efallai diffyg beirniadaeth ddifrifol – gweler y condemniad pigog ym mhrosbectws cyntaf EASPD o'r 'system o fasnachu a ffuantrwydd beirniadaeth'[14]) at deimlad cynyddol o anfodlonrwydd â'r byd celfyddyd fasnachol, ac yn gynnar ym 1929 cymerodd Cedric a Lett y lês ar Pound Farm, y tu allan i Higham yn Swydd Suffolk. Dyma fyddai'r cam cyntaf mewn enciliad strategol o'r byd celfyddyd metropolitan. Ym 1930 rhoddwyd y gorau i'w stiwdio yn Great Ormond Street a symudodd y ddau allan o Lundain. Yn ystod haf 1930 torrodd Cedric ei gytundeb â Tooth, gan ei adael ei hun heb oriel na gwerthwr. Ym 1932 ymddiswyddodd o'r Gymdeithas 7&5 ac ym 1933 ymddiswyddodd o Gymdeithas Artistiaid Llundain.

Roedd The Pound yn hen dŷ hir. 'Roedd yr ardd yn baradwys … byddech yn cyrraedd ati drwy dwnnel o goed gan ddod allan i heulwen. Roedd torso marmor mawr du gan John Skeaping yn y cwrt blaen, a ger wal roedd tŷ gwydr bychan lle'r oedd Cedric yn tyfu cacti a mynawyd y bugail. Wedi'u gosod ym mhlaster pinc Suffolk yr hen dŷ hwn roedd pennau a wynebau haniaethol gan Lett. Yng nghefn y tŷ, oedd yn wynebu tua'r de y safai'r ardd, oedd yn mynd ar oledd i lawr tuag at bwll dŵr. Yng nghanol y pwll hwn safai torso llai gan John Skeaping, a thu hwnt i hynny roedd golygfa fendigedig o ddyffryn Stour. Roedd yr ardd yn gyfres o welyau isel ac iddynt wrychoedd, ac roedd stiwdio Cedric, yr hen olchdy, gerllaw'r tŷ yn yr ardd'.[15]

Yn ogystal â nifer fawr o westeion ac ymwelwyr (ac yn ddiweddarach, myfyrwyr) roedd milodfa wirioneddol: 'Ptolemy y paun oedd yn torsythu o gwmpas yr ardd ac ar y waliau isel gan lusgo ei gynffon hir, Cockey y cocatw â'r grib felen, Rubio y macaw ysgarlad, gwyrdd a glas, a hwyaid – Muscovy a hwyaid gwyllt. Roedd brogaod coed yn y goeden catalpa, ond fydden nhw ddim yn goroesi'r gaeafau. Roedd y parotiaid yn hedfan o gwmpas yr ardd, yn swingio ar y canghennau ac yn cerdded i mewn ac allan o'r tŷ'.[16]

Y Pound fyddai canolfan Cedric a Lett am y deng mlynedd nesaf, ac yno, ym 1937 y sefydlwyd ymgnawdoliad cyntaf yr EASPD.[17]

Ysgol East Anglia: Dysgu Celfyddyd (a Bywyd)

Nid yw'n glir faint o ragbaratoi a wnaed cyn cychwyn yr Ysgol. Mae'r sôn cyntaf amdani yn nyddiaduron Lett ar 22

Chwefror 1937, ddau fis yn unig cyn yr agoriad, pan noda ei fod wedi llunio hysbyseb.

Er hynny, agorodd yr *East Anglian School of Painting and Drawing* yn Dedham ar 12 Ebrill 1937 (am dri diwrnod yr wythnos i ddechrau), gyda Cedric yn Bennaeth a Lett fel Cyfarwyddwr de facto (cyfeiriwyd ato mewn gohebiaeth yn aml fel 'ysgrifennydd' neu 'drefnydd'). Ian Brinkworth oedd trydydd aelod y staff dysgu. Tra bod enw Cedric i'w weld yn amlwg yn y deunydd cyhoeddusrwydd, Lett oedd yn rhedeg yr ysgol. Roedd ymwneud Cedric ag ochr ymarferol y prosiect yn fach iawn, ar y gorau. Ni ddefnyddid The Pound ei hun ar gyfer dysgu, er bod myfyrwyr yn paentio ac yn darlunio yn y gerddi. Roedd y prif adeiladau stiwdio yn y pentref. Roedd y ffioedd yn 26 gini y flwyddyn, 12 gini y chwarter, 5 gini y mis a 2 gini yr wythnos am gyfnodau llai na mis, a chaed llety yn lleol. Er enghraifft, arhosodd Lucien Freud, a gofrestrodd yn gynnar yn ystod haf 1939, yn nhafarn y Marlborough Head gerllaw. Roedd yr ysgol, a hysbysebwyd yn *The Studio* a'r cylchgrawn *Artist*, yn llwyddiant o'r cychwyn, ac erbyn diwedd y tymor cyntaf, yn Rhagfyr, roedd 60 o fyfyrwyr wedi bod yno. Cynhaliwyd arddangosfa o waith y chwe mis cyntaf (340 o baentiadau a darluniau gan 45 o fyfyrwyr), a nododd beirniad celfyddyd y papur lleol fod 'meistrolaeth o grefft yn ansicr yn aml, ond gellid disgwyl hynny … roedd yr arddangosfa yn gyffredinol yn dangos amgyffred bywiog o ffurf a lliw ac *agwedd unigolyddol sy'n anarferol mewn gwaith gan fyfyrwyr*' (fy llythrennau italig i).[18]

Ffig. 4. The Pound gyda cherflunwaith gan John Skeaping yn y blaendir

Pam felly fod yr EASPD mor llwyddiannus yn meithrin y fath unigolyddiaeth? Yr ateb yw, er fod ganddi agwedd flaengar tuag at addysg celfyddyd, roedd yr ysgol yn ymwneud â llawer mwy na dysgu paentio a darlunio yn unig. Ysgrifennodd Esther Grainger am yr Ysgol mai dyma 'yr un lle ble roedd paentio yn bwysig; lle'r oedd bron popeth arall fel jôc. Ysgol ar gyfer mwy na phaentio; byd, math o deulu, a grëwyd ac a oleuwyd gan Cedric a Lett'.[19] Yn The Pound, fel yn Newlyn ac yn Llundain, roedd y ddau wedi creu yr hyn y gellid ei alw yn *amgylchedd*. Cynigiai prosbectws yr Ysgol 'Gyfarwyddyd yn y ffurfiau newydd a'u datblygiad diweddar' cyn amlinellu'r athroniaeth dysgu: 'Amcan yr ysgol yw darparu amgylchedd lle gall myfyrwyr weithio gyda'i gilydd ynghyd ag artistiaid mwy profiadol mewn ymgais ar y cyd i gynhyrchu paentio didwyll. Dymunwn … gynnig i'r myfyriwr le ble y gall weithio yn rhydd gyda phob cyfle ac anogaeth i ddod o hyd i'w ddull penodol ei hun o fynegiant ac ar yr un pryd roi iddo'r cyfle i greu awyrgylch o frwdfrydedd a mwynhad, y teimlwn ni sy'n hanfodol i ddatblygiad ei ganfyddiadau ac i gynhyrchu gwaith da. Ni chredwn fod yna "artistiaid" a "myfyrwyr": mae graddau o hyfedredd …. Dylai'r myfyriwr fod â'r agwedd ei fod yn credu fod ganddo syniad clir o waith creadigol a bod arno angen cymorth i'w gynhyrchu yn unig'.[20]

Mae'n glir felly fod Cedric a Lett yn gosod cyd-destun yn greiddiol i'w hagwedd at ddysgu celfyddyd. Mewn gwirionedd, er bod 'dysgu' yn digwydd – dosbarthiadau paentio, dosbarthiadau bywyd,

Ffig. 5. Myfyrwyr yn paentio ger Afon Stour, 1937. Cedric Morris sydd yn eistedd ar y cwch sydd wyneb i waered

dosbarthiadau dylunio – roedd y gwir bwyslais ar greu yr amodau cywir i alluogi i'r myfyrwyr flodeuo a datblygu, *os* oedd ganddynt y gallu, yr agwedd gywir a'u bod yn barod i weithio'n galed.

Felly roedd yr Ysgol a'i hethos yn estyn y tu hwnt i'r ystafell ddosbarth a'r stiwdio, i mewn i'r ardd ac at y bwrdd cinio. Roedd yn fyd yn llawn cymysgedd nwyfus o gelfyddyd a bywyd, yn troi o gwmpas pegynau creadigol celfyddyd, llenyddiaeth (roedd llawer o'r ymwelwyr yn awduron, gan gynnwys Rosamund Lehmann (rhif 21) ac Antonia White (rhif 28, tud 66)), bwyd da a sgwrs fywiog. Yn Lloegr y 30au roedd hyn yn egsotig, ac i raddau yn amheus. Adnabuwyd Benton End, lle buont yn byw ar ôl The Pound fel 'Tŷ'r Artistiaid', ac mae Ronald Blythe yn cofio bod 'chwiff o arlleg a gwin yn yr awyr. Roedd yr awyrgylch yn arallfydol, cyhyd ag yr oeddwn i wedi'i weld a'i brofi cyn hynny. Roedd yn rymus ac yn gwrs, yn goeth ac yn betrus ar yr un pryd. Yn ffwrdd â hi ac yn foesgar. Hefyd ryw ychydig yn beryglus.'[21]

Mewn un ystyr, gwir gamp cydweithrediad Cedric a Lett yw creu'r dilyniant hwn o amgylchoedd arbennig o gynhyrfiol. I rai o'r myfyrwyr a'r ymwelwyr roedd fel chwa o awyr iach. Pwysleisiodd Glyn Morgan, hefyd yn ysgrifennu am Benton End, fod bywyd yn yr Ysgol yn cael ei fyw yn llawer mwy angerddol nag mewn mannau eraill: 'Fe ddes i, fel llawer i un arall, i deimlo mai'r hen dŷ creclyd hwn a'r ardd fendigedig oedd yr unig fywyd go iawn, a bod y byd allanol yn rhyw fath o dir y cysgodion.'[22]

Aiff y prosbectws cyntaf yn ei flaen i wrthod y syniad 'sy'n gyfredol mewn ysgolion mai llestr ar gyfer damcaniaethau'r meistr yw'r myfyriwr' ac i bwysleisio fod croeso i bobl nad ydynt yn coleddu uchelgais i fod yn artistiaid proffesiynol. 'Gobeithiwn y bydd y cynllun hwn yn helpu, waeth pa mor fychan y bo'r help hwnnw, i leihau'r rhaniad sydd wedi tyfu rhwng yr artist creadigol a'r cyhoedd, o ganlyniad yn bennaf i'r system fasnachu a ffuantrwydd beirniadaeth.'

Roedd annog amaturiaid fel hyn, yn ogystal ag annog y rheiny oedd ag uchelgais broffesiynol, yn sicr yn rhan bwysig o athroniaeth yr Ysgol, oedd hefyd yn cynnwys cynnal dosbarthiadau agored ar ddyddiau Sadwrn i bobl leol, oedd yn boblogaidd iawn. Aeth nifer o bobl leol ymlaen i wneud gyrfa fel artistiaid – mae Lucy Harwood a Maggi Hambling yn enghreifftiau da o hyn.

Ar 26 Gorffennaf 1939, ddwy flynedd wedi iddi agor, llosgwyd yr Ysgol i'r llawr. Yn ogystal â gwaith papur, dinistriwyd gweithiau celfyddyd gan John Skeaping, Frank Dobson, Christopher Wood a Frances Hodgkins a llawer o weithiau gan Cedric a Lett. Paentiwyd yr adeiladau a ddinistriwyd gan y myfyrwyr (gweler darlun o fersiwn Cedric yn Morphet tud 59, mae fersiwn Joan Warburton yn Christchurch Mansion, Ipswich), ond roedd cwestiwn difrifol a fyddai Cedric a Lett yn gallu parhau â'r Ysgol, ac os felly, ym mha ffurf. Dros dro, defnyddiwyd y garej bws yn y pentref fel stiwdio (gweler ffigur 3) a hefyd ystafell filiards y Malborough Head.

Fodd bynnag, erbyn diwedd 1939 roeddent wedi dod o hyd i Benton End a'i brynu, tŷ mawr o'r unfed ganrif ar bymtheg yn edrych dros Afon Brett, ar gyrion Hadleigh gerllaw. Eu bwriad gwreiddiol oedd ei ddefnyddio fel safle i'r Ysgol yn unig, ond ym 1940 symudodd y ddau yno i fyw. Hwn fyddai'r olaf, ond hefyd y mwyaf cyflawn a sefydledig o'u hamgylchoedd creadigol, ac mae'r enw 'Benton End' bellach wedi dod yn gyfystyr â'r EASPD a'r myfyrwyr fu'n gweithio yno.

'Roedd y safle, ar gyrion y pentref yn edrych dros ddyffryn Brett, wedi bod yn wag ers 15 mlynedd ac roedd yr hyn a fu unwaith yn ardd ar goll o dan ysgaw a mieri. Roedd y tŷ, â'i dalcennau a'i fwtresi bric o oes Elisabeth, yn ddigon mawr i Morris, Lett Haines a'i wraig, hyd at saith neu wyth o fyfyrwyr yn byw i mewn, a'r un nifer o fyfyrwyr dydd yn byw yn y pentref. Gellid gwneud stiwdio fawr yn y llofft, ac roedd lle yn y stablau i Morris gael stiwdio ar wahân iddo ef ei hun. Cost y tŷ, y tai allan a thua thair cyfer a hanner oedd £1,000.'[23]

Denai Benton End gymysgedd anarferol o fyfyrwyr ac ymwelwyr, ac roedd yr Ysgol yn aml wedi'i gordanysgrifio, yn enwedig yn ystod y rhyfel. Byddai cymaint â phymtheg o fyfyrwyr yn byw yn Benton End gydag eraill yn lletya yn y pentref, neu gyda myfyrwyr lleol fel Lucy Harwood. Roedd yr Ysgol yn rhedeg o fis Ebrill i fis Hydref. Byddai myfyrwyr yn paentio y tu mewn a'r tu allan, ar eu pen eu hunain neu mewn grwpiau. 'Roedd dosbarthiadau bywyd gyda modelau a ddeuai o Lundain ac a arhosai yn y pentref.' Mewn tywydd cynnes, ambell waith cynhelid y rhain y tu allan (gweler ffotograff yn *tate magazine* 29, Haf 2002 tud i). Byddai myfyrwyr yn dysgu sut i ymestyn a pharatoi cynfasau ac 'fe'u hanogwyd i fynd allan i'r wlad ac at yr afon'.[24] Hefyd, cynhelid teithiau yn lleol i lefydd fel Walberswick. Bob dydd byddai cinio mawr, hir am 2.30pm, wedi'i baratoi gan Lett. Yna rhagor o baentio yn y prynhawn, gyda thoriad amser te efallai a swper mwy a hirach gyda'r nos.

Roedd bywyd cymdeithasol yr Ysgol yn hanfodol i lwyddiant agwedd Cedric a Lett, ac yn enwedig y ciniawau a'r swperau, oedd yn gyfle i gynnal trafodaethau bywiog am gelfyddyd, yn ogystal ag adrodd hanesion a hel straeon. Yn wir, o ystyried y ffordd y mae atgofion am Benton End yn oedi dros y swperau – ar goginio hynod Lett, oedd yn siŵr o fod yn anhygoel o egsotig i gegau Saesnig oedd wedi arfer â dogni, yn defnyddio garlleg, perlysiau a llysiau 'egsotig' fel corbwmpen a phupur, y cyfan wedi'u tyfu mewn gerddi a thai gwydr – mae'n ymddangos mai hwn i lawer oedd bron iawn y rhan bwysicaf o'r profiadau dysgu oedd i'w cael yno. Yn sicr roedd Maggi Hambling yn meddwl hynny. Roedd hi yn cynorthwyo Lett yn y gegin yn ystod y 60au, ac mae wedi dweud mai dyma lle dysgodd hi rai o'i gwersi pwysicaf am gelfyddyd. Mae'n rhaid fod yr agwedd hon o fywyd yn Benton End yn ei wneud yn lle hwyliog iawn i fynd iddo, ac yn sicr roedd yn un o'r ffactorau oedd yn annog myfyrwyr i ddychwelyd dro ar ôl tro.

Roedd coginio Lett heb os yn hynod, o ystyried cyd-destun y cyfnod. Mae grŵp o'i fwydlenni (a rhai o'r rysetiau gwreiddiol) o'r 50au cynnar wedi goroesi, ac maent yn cynnwys danteithion fel Olifau Groegaidd â Llyswennod wedi'u Mygu ar Groutons, *Soupe à Volaille*, torbwt wedi'i stwffio a'i frwysio, pupur melys wedi'u stwffio, *Gigot d'Agneau* gyda Jeli Gwafa, *macaroni aux legumes* a detholiad o gawsiau Ffrengig. Roedd Cedric a Lett yn ffrindiau da ag Elizabeth David, perchennog *Yr Wyau*, (rhif 35, tud 57). Mae hi wedi disgrifio'n llachar agweddau Seisnig at goginio yn y cyfnod hwn; wrth ysgrifennu am greu ei llyfr cyntaf, *Mediterranean Cooking*, a gychwynnodd ym 1947, dywedodd: 'Dechreuais weithio ar gael gwared o'r blys poenus a deimlwn am haul a'r chwyldro ffyrnig yn erbyn y bwyd ofnadwy, diflas, digalon hwnnw drwy ysgrifennu disgrifiadau o goginio ardal Môr y Canoldir a'r Dwyrain Canol. Roedd hyd yn oed ysgrifennu geiriau fel bricyll, olifau a menyn, reis a lemonau, olew ac almon, yn fy lleddfu. Yn ddiweddarach, fe sylweddolais fod y geiriau yr oeddwn i'n eu hysgrifennu yn eiriau brwnt yn Lloegr ym 1947.'[25]

O ystyried y cyd-destun hwn, mae gwaith fel *Ratatouille* 1954 (rhif 40, tud 57) o eiddo Cedric yn ymddangos bron fel maniffesto. Mae Glyn Morgan yn cofio fod 'y bwyd, pan ddaeth, yn agoriad llygad. Doeddwn i erioed wedi blasu y fath fwyd. Doeddwn i erioed wedi dychmygu y gallai bwyd fod fel yna....'[26] Awgrymwyd mai coginio oedd prif ryddhad creadigol Lett unwaith i rediad yr Ysgol ei rwystro rhag treulio cymaint o

amser ag y byddai wedi ei hoffi ar ei waith ei hun.

Roedd yr Ysgol yn anarferol mewn ffyrdd eraill. Dau ffactor gwerth eu nodi yw'r ymdrechion a wnaed i hybu gwaith y myfyrwyr (a darparu incwm ychwanegol) a'r cydraddoldeb llwyr yn y ffordd yr oedd menywod yn cael eu trin.

Gallai menywod oedd yn mynychu'r ysgol ddisgwyl cael eu trin yn union yr un ffordd â'r dynion, ac mae bron yn sicr fod canran uwch o fenywod yn yr ysgol nag a oedd yn ysgolion celfyddyd y wladwriaeth. Dywedodd Maggi Hambling: 'Doedd y ffaith eich bod yn ferch byth yn cael ei weld fel anfantais ... Prunella Clough, Louise Hutchinson, Lucy Harwood ... roedd yn ymwneud â rhyddid a gonestrwydd popeth, ac anogaeth....'[27]

Yn ogystal â chynnal arddangosfeydd o waith y myfyrwyr yn gyson yn lleol, roedd Lett hefyd yn dda iawn am sicrhau comisiynau ar gyfer cynlluniau tecstilau. Ymhlith y cwmnïau oedd yn defnyddio cynlluniau gan y myfyrwyr yr oedd Caple Silks, Cresta Silks Tom Heron a Walton's Textiles (roedd Allan Walton yn ymwelydd cyson â The Pound a Benton End). Menter arall oedd cynhyrchu arwyddion tafarnau. Er enghraifft, yn y 30au hwyr paentiodd Cedric arwydd i The Black Horse yn Stratford St Mary, gwnaeth Ralph Banbury un i'r Duke of Malborough a gwnaeth Joy Collier un i The Sun Inn yn Dedham. Byddai hyn yn datblygu yn fenter (eithaf) llewyrchus i Lett. Yn ei ddyddiadur ym 1948 mae'n nodi: 'Gweithio ar arwyddion tafarn. Shoulder of Mutton, The Sun (Dedham) + Skinners Arms (Manningtree).' Ar 18 Medi mae'n nodi yn llon 'Archeb ar gyfer "Bristol Arms" Shotley gan Cobbolds'.[28]

Nodyn am arddio

Yn The Pound ac yna yn Benton End, rhan bwysig o'r amgylchedd oedd yr ardd. Mae gweithgareddau garddio Cedric y tu hwnt i gwmpas y traethawd hwn a chyfeirir unrhyw un sydd am gael adroddiad llawnach at draethodau diweddar gan Beth Chatto ac Ursula Buchan.[29] Enillodd Cedric fri rhyngwladol yn y 50au a'r 60au fel dyn planhigion wrth i'w enwogrwydd yn y byd celfyddyd ddechrau lleihau gan iddo gael ei weld yn llai aml. Ar ôl ei sioe yn y Guggenheim Jeune ym 1938, dim ond ddwywaith y cafodd sioeau unigol yn Llundain yn ystod y deng mlynedd ar hugain canlynol, ym 1940 yn y Gymdeithas Gelfyddyd Gain ac ym 1952 yn Orielau Leicester, er i'w waith barhau i ymddangos mewn sioeau grŵp yn Orielau Leicester ac Oriel Redfern. (Roedd sioeau diweddarach mewn orielau masnachol yn Llundain ym 1970, 1975, 1979 a 1981). Yn The Pound ac yn Benton End, roedd y gerddi yn cynnig cyfoeth o ddeunydd syniadol i fyfyrwyr – cynhelid llawer o wersi yn yr awyr agored ac roedd paentio blodau yn rhan bwysig o weithgaredd y rhan fwyaf o fyfyrwyr. Heb os, dyma oedd y math o baentio yr oedd Cedric yn adnabyddus am ei wneud, ac felly mae'n rhaid ei fod yn atyniad pwysig i'r ysgol. Roedd y gerddi hefyd yn darparu bwyd, ac yn dod â dimensiwn gwahanol i'r gymysgedd gymdeithasol, gydag

Ffig. 6. Benton End

ymweliadau gan arddwyr (yn arbennig yn ystod y tymor gellesg).

Fodd bynnag, wrth i enwogrwydd Cedric fel garddwr dyfu, i Lett roedd y ffocws cynyddol ar arddwriaeth yn rhwystredig. Roedd yn arbennig o anodd i'w ddioddef, gan iddo, i raddau, roi'r gorau i'w yrfa artistig ei hun er mwyn hyrwyddo gyrfa Cedric. Mae Maggi Hambling yn cofio na fyddai Lett yn mentro i'r ardd ond 'tua unwaith y flwyddyn ... y tŷ oedd ei arglwyddiaeth, a Cedric oedd piau'r ardd'.[30] Roedd ei agwedd at y garddwyr a fyddai'n ymweld – 'y garddwyr amheus' fel y byddai'n eu galw – ac a ystyriai yn amhariad di-alw-amdano, yn un o boendod. Mae Joan Warburton yn ei gofio yn taranu yn erbyn 'yr holl ffycars yma sy'n dod i weld y blydi ardd'.[31]

Yr Ysgol yn ei Chyd-destun

Mae'n amlwg fod y drefn yn The Pound ac yna yn Benton End yn anghonfensiynol. Roedd awyrgylch anarferol o fywiog a chynhyrfiol ynghyd ag ymrwymiad i 'baentio didwyll' yn golygu fod yr ysgol yn cyflwyno safbwynt radical yng nghyd-destun y cyfnod. Mae'n rhaid cyfaddef fod y ffaith ei bod yn ysgol lle byddai'r myfyrwyr yn talu ffioedd yn golygu bod gan Cedric a Lett ryddid i wneud yn ôl eu dymuniad, heb fod yn gaeth i unrhyw feysydd llafur, ond hyd yn oed o ystyried hynny mae eu hagwedd mor bell o'r hyn a geid yn ysgolion celfyddyd y wladwriaeth fel ei bod yn ymddangos o flaen, neu allan o drefn â'i hamser.

Roedd addysg celfyddyd yn rhan gyntaf yr ugeinfed ganrif mewn cyflwr go farwaidd ar y cyfan. Roedd y rhan fwyaf o'r ysgolion yn dal i ddilyn system gaeth (Cwrs Kensington) a ddatblygwyd 50 mlynedd ynghynt, ac a oedd yn seiliedig bron yn llwyr ar gopïo. Dim ond wedi iddynt ddangos digon o fedr ar lefel benodedig y byddai myfyrwyr yn mynd ymlaen i ran nesaf y cwrs. Felly gallai fod yn flynyddoedd lawer cyn iddynt gael symud ymlaen o gopïo a gweithio o gastiau i'r ystafell fywyd. Roedd rhai enghreifftiau unigol o agweddau mwy goleuedig at ddysgu. Yn yr RCA roedd yr Athro Moira yn nodedig am ddatblygu dull oedd yn un o 'feirniadaeth yn hytrach nag arddangos'[32] ac yn y Slade, tra bod Tonks yn pwysleisio pwysigrwydd lluniadaeth gyda'i raglen o gopïo o'r Hynafol, o brintiau ac o fywyd, roedd yn gweld y ddisgyblaeth hon fel sail hanfodol i ddatblygu unigolyddiaeth artist.

Ar ôl 1915, pan ddiddymwyd y Gystadleuaeth Genedlaethol, dechreuodd yr ysgolion celfyddyd dorri'n rhydd o System De Kensington, gyda chymorth penodiadau goleuedig fel William Rothenstein yn yr RCA ym 1920 (mae'n ddiddorol nodi i Cedric gael cyfnod byr ond anfoddhaol fel athro yn yr RCA yn y 50au cynnar, gan gwyno fod ei fyfyrwyr a'r ysgol yn hunanfoddhaus a diawen). Fodd bynnag, erbyn y 30au hwyr, pan gychwynnwyd yr EASPD, roedd yn cynrychioli dewis eglur. Fel yr honnodd Lett, roedd yr ysgol 'wedi'i seilio ar ddamcaniaethau Parisiaidd y *Cours Libres* y dylai myfyriwr ddatblygu ei dechneg a'i drefn weithio ei hun gyda chymorth anogaeth a phrofiad athrawon yn unig: chwyldro mewn Addysgu Celfyddyd yn y cyfnod hwnnw ym Mhrydain.'[33]

Nid oes unrhyw sefydliad addysgu yn y DU yn ystod y 30au a'r 40au y gellir ei gymharu â'r EASPD. Y gymhariaeth agosaf o bosibl yw cymunedau artistiaid, fel y gwelid yn St Ives yng nghanol a diwedd y 40au, lle'r oedd artistiaid yn gweithio gyda'i gilydd, gyda'u hymdeimlad o bwrpas yn cael ei gryfhau a'u gwaith yn fwy beiddgar oherwydd yr ymdeimlad o gymuned. Rhagflaenydd diddorol arall i EASPD, er iddo fod yn eithaf pell yn gronolegol, yw Ysgol Herkomer, a sefydlwyd yn Bushey ym 1888 gan Syr Hubert Herkomer. Fel yn achos yr EASPD roedd ysgol Herkomer yn ymgais i greu amgylchedd dysgu oedd yn hollol groes i safonau'r dydd – y system 'Ysgolion De Kensington' – yr oedd yn anghytuno'n gryf â hi. 'Un o athrawiaethau' Herkomer 'oedd bod angen cefnogaeth meistr ar fyfyriwr oedd yn deall ei allu a'i botensial ac yn gallu llywio'r myfyriwr i ffwrdd o ddylanwad niweidiol copïo arddull person arall yn slafaidd'.[34] Cymhariaeth nodedig â Benton End oedd 'y rhyddid a'r ysbryd cymunedol' yr oedd yr ysgol yn eu hysbrydoli yn ei myfyrwyr, oedd oll yn lletya yn lleol mewn trefn go debyg i EASPD. Caeodd Ysgol Herkomer ym 1904, pan gymrodd un o'r myfyriwr, Lucy Kemp-Welch, yr awenau a'i rhedeg fel Ysgol Baentio Bushey tan 1911.

Daeth y syniad o ddysgu *cours libre* yn gysylltiedig â'r amgylchedd i'r amlwg

unwaith i'r Ysgol symud i Benton End, lle gallai creu celfyddyd wirioneddol orgyffwrdd â byw bywyd. Dywedodd Glyn Morgan: 'Er gwaethaf ei holl ymwelwyr, roedd The Pound yn gartref preifat gydag ysgol fel endid ar wahân. Nawr, am y tro cyntaf roedd Cedric a Lett, yr ysgol a'r ardd i gyd ar yr un safle. Efallai mai hyn sydd i gyfrif am ddwysedd rhyfeddol profiad Benton End, oherwydd nid ysgol haf gyffredin oedd hon ond byd ar wahân .... Yn y tŷ hwn lle nad tasg gwyliau pleserus oedd paentio ond ffordd o fyw, roedd byd caeëdig ynghudd mewn gardd hudol ... ond serch hynny roedd yn agored i holl gerhyntau deallusol y byd allanol, diolch i feddwl aflonydd a throfaus Lett. Er mor wahanol yn eu hanian fel ei bod yn ymddangos yn amhosibl i'r ddau fyw yn yr un adeilad, roedd Cedric a Lett yn unedig mewn un peth, sef eu bod yn gwrthod yn lân â gwthio arddulliau na syniadau ar eu disgyblion. Bydd ymwelydd â'r arddangosfa hon yn edrych yn ofer am "arddull y tŷ". Eu dull, os y gellir galw unrhyw beth mor ysgafn yn ddull, oedd ceisio cynorthwyo'r myfyriwr ar hyd y llwybr a ymddangosai fel yr un mwyaf naturiol i'r person penodol hwnnw gan ddefnyddio gwybodaeth aruthrol o gynllunio a lliw i gryfhau camau'r dechreuwr. Byddai pobl a fyddai'n gweithio yn Benton End am y tro cyntaf weithiau yn dechrau drwy osod eu paent yn null arbennig Cedric (a gyfeirid ato gan rai fel 'gwau' Cedric), ond anaml fyddai hyn yn parhau yn hir. Yr hyn a anogid oedd diystyrwch llwyr o baentio ffasiynol neu unrhyw fath o rodres'.[35]

Er eu bod yn aml yn rhoi cyngor hollol gyferbyniol, roedd Lett a Cedric ill dau yn ennyn parch mawr gan y disgyblion oherwydd eu dysgu. Byddai hyn yn cael ei wneud mewn dull amheuthun o ad hoc. Erbyn y 40au hwyr, doedd dim dosbarthiadau, '...byddech yn dechrau ar lun yn y stiwdio neu yn yr ardd ac ymhen ychydig byddai Cedric yn dod atoch chi, ei ddwylo yn bridd i gyd, yn llenwi hen getyn drewllyd o flwch baco ifori. Ddywedodd ef erioed wrth neb pa dechneg i'w defnyddio. Roedd yn cyfyngu ei feirniadaeth i liw, cydbwysedd a nodweddion ffurfiol sylfaenol eraill y paentio, felly tra'ch bod yn tybied pam na welsoch chi'r ateb cyn hynny, roedd y gwaith yn dal i fod yn llun oedd yn eiddo i chi'.[36] Roedd Lett yn 'ddyn meddylgar, hael, tadol, yn trin y myfyrwyr i gyd fel plant iddo, mae'n cyfeirio atom ni fel "chi fechgyn" er bod rhai ohonom ni yn ein pedwardegau. Mae'n feirniad eithriadol o dda ac yn athro sy'n barod i'n cynorthwyo'.[37]

Mae hyn yn dangos agwedd ddiddorol o'r Ysgol, sef tra'i bod yn benderfynol o fod yn agored i fathau gwahanol o gelfyddyd, roedd rhaniad pendant rhwng y rheiny y gellid eu galw yn 'ddisgyblion Cedric' a'r rhai y gellid eu galw yn 'ddisgyblion Lett'. Yn y detholiad presennol, gallai'r cyntaf gynnwys Lucian Freud, Lucy Harwood a Glyn Morgan, tra bod yr olaf yn cynnwys David Carr a Maggi Hambling. Byddai dilynwyr Cedric fel arfer yn baentwyr a fyddai yn paentio mewn ffordd a fyddai'n rhoi lle amlwg i arsylwad gofalus, datganiad uniongyrchol a diddordeb arbennig mewn agweddau o baentio fel lliw ac ansawdd arwyneb. Ar y llaw arall roedd dilynwyr Lett yn tueddu i fod yn fwy arbrofol, yn llai caeth yn eu dull o weithio ac yn barotach i wthio eu gwaith i gyfeiriadau gwahanol. Mae Maggi Hambling, sydd â'i gyrfa wedi cwmpasu paentio ffigurol a haniaethol mewn olew a dyfrlliw, yn ogystal â gwaith cysyniadol a cherflunwaith seramig ac efydd, yn enghraifft o agwedd Lett, oedd yn fwy agored i ddatblygiadau cyfoes. Mae'n cofio Lett yn y 1960au yn teithio i Lundain yn benodol i weld yr arddangosfeydd diweddaraf (gan gynnwys trip i weld arddangosfa adolygol Marcel Duchamp yn Oriel Tate).

Blynyddoedd Diweddarach

Heb os, diwedd y 1930au a'r 1940au oedd oes aur yr EASPD. Ar ôl y rhyfel newidiodd cymeriad addysg celfyddyd wrth i grantiau newydd gael eu cyflwyno. Gan nad oedd yn ysgol gelfyddyd gofrestredig, doedd Benton End ddim yn gymwys ac felly denai lai o fyfyrwyr newydd, ifanc. Parhâi yr un criw i fynychu, a daeth yn lle oedd yn fwy addas i 'baentio gwyliau', ond gyda'r un ymroddiad i waith difrifol. Sylwodd Bernard Reynolds fod yn '...y Benton End a sefydlwyd o 1952 ymlaen ... lai o fyfyrwyr preswyl, roedd y rhan fwyaf yn ymwelwyr mynych neu achlysurol oedd yn hoffi hawlio eu cysylltiad â'r EASPD....'[38] Erbyn y 60au doedd Benton End ddim yn gweithredu fel 'ysgol' bellach, er bod nifer o gyn-fyfyrwyr yn dychwelyd yno flwyddyn ar ôl blwyddyn. Fodd bynnag, roedd yn parhau i fod yn ganolbwynt i gynefin cymdeithasol.

Gyda gweithgareddau'r ysgol yn lleihau, roedd Lett unwaith eto yn gallu rhoi mwy o amser i'w gelfyddyd ei hun, gan brofi yr hyn y gellid ei alw yn flodeuo creadigol hwyr. Gwnaeth ddarluniau, paentiadau a gludweithiau, ac arbrofodd â'r hyn a alwai yn *petite sculptures* neu "Lett's wierdies"[39] – cerfluniau rhyfedd, ffraeth, bregus wedi'u gwneud o sbwriel a sbarion o'r gegin gan gynnwys esgyrn a phlisg wyau. Roedd Cedric a Lett erbyn hyn yn byw bron iawn yn annibynnol o dan yr un to. Dyma fel y bu erioed – yn aml byddent yn mynd ar wyliau ar wahân, a byddai'r ddau yn cael carwriaethau – ond roedd y sefyllfa nawr yn fwy amlwg. Byddai ymwelydd â Benton End yn ystod y 70au yn treulio amser gyda Cedric ar y llawr gwaelod yn gyntaf, cyn mynd i'r llofft i weld Lett yn ei ystafell (oedd hefyd yn stiwdio iddo).

Bu farw Lett ym 1978. Bu'n rhaid i Cedric, oedd wedi dechrau colli ei olwg yng nghanol y 70au, roi'r gorau i baentio ym 1975, a heneiddiodd yn raddol i oedran mawr, a bu farw ym 1982 yn 92 mlwydd oed, yn fuan wedi i grŵp o'i weithiau, *Lucian Freud* 1940 (rhif 31, tud 61), *David a Barbara Carr* c.1940 (rhif 30, tud 65), ac *Eginblanhigion Gellesg* 1943 (rhif 34, tud 71) gael eu gosod yn y casgliad cenedlaethol yn Oriel Tate.

Roedd cyfraniad Lett a Cedric i gelfyddyd ac addysg celf, fel unigolion a gyda'i gilydd, yn arwyddocaol mewn ffordd sy'n anghymesur â'u statws o fewn hanes Celfyddyd Brydeinig. Er gwaethaf ei arddangosfa adolygol yn Amgueddfa Genedlaethol Cymru yng Nghaerdydd ym 1968 a'r sioe fawr yn y Tate ym 1984 (a deithiodd i Amgueddfa Genedlaethol Cymru ac i The Minories, Caer Colun), mae Cedric yn dal i fod yn ffigur sydd ar y cyrion, yn rhywfaint o ddyn y cyrion. Mae'n bosibl y byddai yn falch o hynny. Ond ar yr un pryd, mae hyn yn rhyfedd o ystyried goruchafiaeth y math o baentio ffigurol a wnaed gan yr hyn a elwid yn Ysgol Llundain, y gellir dweud iddo fod yn rhagflaenydd iddi, yn y cyfnod ar ôl y rhyfel. Mae yna rywbeth yn anffodus yn y ffordd y mae ffigurau fel Cedric a Lett, nad ydynt yn perthyn yn dwt i gategorïau hanesyddol, yn llithro yn araf i ddinodedd. Mae'n debyg y byddai Lett, yr oedd pethau fel hyn yn bwysig iddo, yn poeni am hyn. Mae'n siŵr na fyddai Cedric, oedd yn casáu cofiannau, yn poeni y naill ffordd na'r llall. Eto mae'n syndod mai ychydig iawn y tu allan i Swydd Suffolk sy'n gwybod am eu prosiect ecsentrig ond symbylol. Does ond gobeithio y bydd yr arddangosfa hon a'r cyhoeddiad hwn yn mynd beth o'r ffordd i unioni'r cam.

Nodiadau

1. Mae archif helaeth Cedric Morris (cyf TGA 8317) yn cael ei chadw yng Nghanolfan Ymchwil Hyman Kreitman yn Tate Britain. Fe'i hategir gan bapurau Lett ac eitemau gan John Morley, Bryan Brooke a Joan Warburton (gan gynnwys ei chofiant nad yw wedi'i gyhoeddi, *A Painter's Progress*).

2. Richard Morphet *Cedric Morris*, cat.ardd, Oriel Tate 1984

3. Ronald Blythe 'A Tribute' cat. ardd. 'The Minories' 1974

4. Glyn Morgan 'Introduction' cat. ardd. *The Benton End Art Circle* Oriel Gelfyddyd Bury St Edmonds 1986

5. Joan Warburton, *A Painter's Progress: Part of a Life 1920-1987*, heb ei gyhoeddi. TGA 968.2.20

6. Christopher Neve 'The Outsider' yn *Country Life* 26 Ebrill 1984 tud 1166

7. Ronald Blythe 'Sir Cedric Morris' yn *'People, Essays & Poems'* gol. Susan Hill, Chatto and Windus 1983, tud 29

8. Adroddodd Joan Warburton iddi weld Cedric unwaith yn rhwygo hen ffotograffau. Esboniodd 'Fi sy'n berchen ar fy mywyd fy hun, a dwyf i ddim am adael dim byd fyddai o gymorth i ddarpar gofiannydd'. Joan Warburton *op. cit.*

9. Frances Hodgkins, llythyr i'w mam dyddiedig 15 Mai 1920. Gweler *The Letters of Frances Hodgkins* gol. Linda Gill, Auckland University Press 1993 tud 347

10. Lett llsgr drafft i cat. Caerdydd 1968 TGA 8317.6.3

11. Llythyr i Dorothy Selby 24 Mai 1928. Gweler Linda Gill *op. cit.* tud 407

12. The Scotsman 6 Mawrth 1930

13. Ymhlith aelodau eraill o'r 7&5 roedd Ivon Hitchens, David Jones, Len Lye ac (yn ddiweddarach) Henry Moore, Barbara Hepworth a John Piper. Ystyrid mai y 7&5, oedd yn cynnwys saith paentiwr a phum cerflunydd, oedd y grŵp artistiaid mwyaf datblygedig yn Lloegr yn ystod y cyfnod. Pan ymunodd Cedric, roedd y pwyslais yn gadarn ar y ffigurol, ond erbyn 1932, pan ymddiswyddodd, roedd y grŵp wedi dechrau symud tuag at agwedd fwy radical, gan fabwysiadu'r haniaethol o dan arweiniad Ben Nicholson.

14. Prosbectws EASPD, d.d., tua 1937. TGA 8317

15. Joan Warburton *op. cit.*

16. ibid

17. Ym 1952 bu farw Mrs Vivien Doyle Jones, oedd yn fyfyriwr ac yn gymydog, ac ewyllysiodd The Pound i Cedric.

18. Dyfynnwyd yn Joan Warburton *op.cit.*

19. Esther Grainger, dyfynnwyd yn cat. ardd. *The Benton End Art Circle* Oriel Gelfyddyd Bury St Edmonds 1986

20. Prosbectws EASPD, d.d., tua 1937. TGA 8317

21. Ronald Blythe *op. cit.* tud 26

22. Cofiant Glyn Morgan nad yw wedi'i gyhoeddi 1992

23. Christopher Neve & Tony Venison 'A Painter and His Garden: Cedric Morris at Benton End' yn *Country Life* 17 Mai 1979 tud 1532-1535. Mae'r cyfeiriad at wraig Lett yn rhyfedd, a naill ai yn gyfeiriad at un o gariadon Lett, neu'n ymgais at barchusrwydd.

24. Joan Warburton *op. cit.*

25. Elizabeth David 'John Wesley's Eye' yn *An Omelette and a Glass of Wine*, Penguin, ailargraffwyd 1986 tud 21

26. Cofiant Glyn Morgan nad yw wedi'i gyhoeddi 1992

27. Maggi Hambling, cyfweliad na chyhoeddwyd â'r awdur 30 Mai 1992

28. Dyddiaduron Lett TGA 8317.7.2

29. Beth Chatto, 'Cedric Morris: Artist-Gardener' yn *Hortus* Rhif 1 1987 tud 14-20. Ursula Buchan 'Iris and Art' yn *The Garden* Gorffennaf 1997 tud 472-475

30. Maggi Hambling *op. cit.*

31. Dyddiadur Joan Warburton 19 Mawrth 1973 TGA 968.2

32. Adroddiad 1911 ar yr RCA a ddyfynnwyd yn *The Royal College of Art: One Hundred and Fifty Years of Art and Design* gan Christopher Frayling, Barrie & Jenkins 1987 tud 80. Yn ddiddorol, roedd W Staite Murray, fu'n arddangos gyda Cedric ym 1924, ac a ddysgai grochenwaith yn yr RCA, o'r farn fod 'Meistr Zen yn dysgu drwy beidio â dysgu, yn llafar o leiaf: mae dim ond yn dangos...' dyfynnodd Frayling tud 110.

33. Lett Haines cat. ardd. *Masters and Pupils* Westgate House, Long Melford, Mawrth 1970. Dyfynnwyd Morphet 1984, tud 95 nodyn 1

34. David Setford, 'The Herkomer School' yn cat. ardd. *Stand to Your Work: Hubert Herkomer and his Students* Amgueddfa Watford 1983, tud 4-5

35. Glyn Morgan 'Introduction' cat. ardd. *The Benton End Art Circle* Oriel Gelfyddyd Bury St Edmonds 1986

36. Cofiant Glyn Morgan nad yw wedi'i gyhoeddi 1992

37. Dyddiadur Bernard Reynolds 15 Mai 1945 dyfynnwyd yn *The Benton End Art Circle* Oriel Gelfyddyd Bury St Edmonds 1986

38. Bernard Reynolds, llythyr i'r awdur 27 Tachwedd 1997

39. Lett Haines 'Preliminary Note on Exhibitions, 1974' TGA 8317.6.3.3

Ffig. 7. Cedric Morris, 20au cynnar

'Roedd gwaed wedi'i dasgu hyd waliau'r oriel': portreadau Cedric Morris

Ben Tufnell

Byddai ymwelydd ag Oriel Guggenheim Jeune yn Llundain ym mis Mawrth 1938 wedi dod wyneb yn wyneb â golygfa ysgytwol. Ar gyfer ei arddangosfa, roedd Cedric Morris wedi hongian tair rhes o bron i gant o bortreadau ar waliau'r oriel, ddwywaith gymaint ag a restrwyd yn y catalog. Denodd y paentiadau ymatebion cryf. Cofiodd Peggy Guggenheim am y dangosiad preifat, fod 'un o'r gwesteion … yn casáu'r portreadau cymaint nes iddo ddechrau llosgi'r catalogau er mwyn dangos ei anghymeradwyaeth. Yna trawodd Cedric Morris, oedd wrth reswm yn gynddeiriog, (y dyn), a chafwyd brwydr waedlyd. Roedd gwaed wedi'i dasgu hyd waliau'r oriel....'

Cofiodd Guggenheim nad oedd Morris am greu sioe o'r 'lluniau blodau prydferth yr oedd yn enwog am eu gwneud'. Yn lle hynny, perswadiodd yr artist hi i adael iddo ddangos ei bortreadau, er gwaetha'r ffaith iddi hi, fel y gwestai trafferthus yn y dangosiad preifat, gredu eu bod 'yn y rhan fwyaf o achosion bron yn wawdluniau, pob un ohonyn nhw ar yr ochr annymunol.'[1]

Wrth baentio portreadau fel *Lett Haines* (rhif 2, tud 60) neu *Paul Odo Cross* (rhif 11, tud 24), a gynhwyswyd yn sioe y Guggenheim, ni chredaf mai bwriad Morris oedd gwawdlunio na beirniadu ei eisteddwyr. Wedi'r cyfan, roeddent yn ffrindiau ac yn fyfyrwyr iddo. Fel y nododd y beirniad Eric Newton, roedd Morris 'yn datgan y ffeithiau sydd o ddiddordeb iddo....' Iddo ef, roedd gwaith Morris yn 'rhyddhad oddi wrth weniaith ac osgoadau arddangosfeydd portreadau arferol, sydd i'w groesawu'.[2] Os gwelwn ni wawdlun neu feirniadaeth, ein darlleniad ni ydyw, ac nid bwriad yr artist o reidrwydd. Mae'r ymrwymiad digyfaddawd i baentio'r hyn sydd o'i flaen yn onest ac uniongyrchol, yn hytrach na syrthio i unrhyw ddull neu fethod rhagdybiedig, yn ein harwain ni i gredu erbyn hyn fod Morris yn dilyn ryw agenda ddirgel. Rydym wedi arfer â gweniaith mewn portreadau ond nid yw'r portreadau hyn yn gwneud unrhyw gonsesiwn i brydferthwch. Yn hyn o beth, mae portreadau Morris o'r 20au a'r 30au, oedd yn ysgytwol yn eu cyfnod, yn dal i fod felly hyd yn oed heddiw.

Heddiw, mae Morris yn dal i fod yn fwyaf adnabyddus am ei 'luniau blodau prydferth'. Fodd bynnag, y portreadau sy'n dangos ei orchest fwyaf arbennig a radical.

Yn unigol, maent yn cynnig datganiadau pwerus ac argyhoeddiadol o bersonoliaeth, ac fel corff o waith maent yn cyflwyno darlun cyson a byw o amgylchfyd rhyfeddol. Roeddent yn wahanol i waith arall oedd yn cael ei wneud ar y pryd ym Mhrydain – yn agosach mewn synwyrusrwydd i ddatblygiadau cyfredol yn Ffrainc a'r Almaen.

Pwrpas y traethawd hwn felly yw cynnig dadl ynghylch pam y dylem ni ailasesu gorchest Morris ac os nad ef oedd y portreadwr blaenaf oedd yn gweithio ym Mhrydain yn y 20au a'r 30au, cydnabod ei fod yn y rheng flaen. O'i gymharu â phaentwyr Camden Town a Bloomsbury, a'r artist oedd i'r cyhoedd efallai yn cynrychioli paentio 'blaengar' yn y cyfnod hwn orau, Augustus John, mae gwaith gorau Morris yn ymddangos yn syndod o fodern – o flaen ei amser drwy ei fod fel pe bai yn mynegi (neu o leiaf yn arwyddo) cyflwr dirfodol yr unigolyn. Mae'r pennau llwm hyn, sy'n cael eu harchwilio'n fanwl, yn mynegi ymdeimlad pwerus o'r unigolyn ar ei ben ei hun mewn ffordd sy'n rhagweld datblygiadau yn y 50au, a gweithiau gan yr hyn a elwid yn Ysgol Llundain. Mae Lucian Freud yn cofio fod portreadau Morris, mewn cyferbyniad â phortreadau Seisnig eraill o'r 30au a'r 40au, yn aml yn 'ddadlennol mewn ffordd oedd bron yn anweddus'[3], rhywbeth y gellid ei ddweud yn ddi-os am ei waith ef ei hun.

Pam felly fod portreadau Morris mor arbennig? Yr agwedd fwyaf trawiadol o'i

Cedric Morris, *Paul Odo Cross* 1925 (rhif 11)

waith yw ei berthynas uniongyrchol â'r testun, y mae Richard Morphet wedi'i alw yn *archwiliad* ('scrutiny') a'r 'uniongyrchedd eithriadol y mae'n ei ddefnyddio i gyfleu'r testun gan gyfathrebu ei fodolaeth.'[4] Rydym yn cael ymdeimlad fod yr artist wedi llwyddo i ennill rhyw fath o fewnwelediad i natur hanfodol ei destun. Ysgrifennodd Morris: 'Rhaid bod deallttwriaeth gref bob amser rhwng y paentiwr a'r hyn a baentir, neu nid oes modd cael argyhoeddiad na gwirionedd. Gellid galw hyn yn "welediad" a realiti, yn hytrach na realaeth. Realiti yw gwybodaeth a realaeth yw'r hyn sy'n ymddangos fel gwybodaeth yn unig....'[5] Yr hyn y mae'n ei geisio felly yw ffordd o fynegi'r hyn a wêl, heb orfod gwneud y tro â ffugio neu ddullwedd, ac yn ei waith gorau mae'n llwyddo.

Nodwedd hanfodol portread gan Morris, sy'n caniatáu cyfathrebu'r 'wybodaeth' hon yw symlrwydd: symlrwydd cysyniad, ffurf a chyfansoddiad.

Yn ei ddefnydd o symlrwydd (a gormodiaith ar adegau) yn yr wynepryd mae Morris weithiau yn gwyro yn anghyffforddus o agos at wawdlun,[6] ond mae ei ddefnydd o dechnegau o'r fath bob amser yn gweithio tuag at greu darlun uniongyrchol a dwys o'r testun yn hytrach nag er mwyn cael effaith gomig neu ddychanol. Mae defnydd Morris o leihad yn ei waith yn rhannol wedi'i ysbrydoli gan ansawdd 'naddedig' paentio Tsieniaidd, yr oedd Morris yn ei edmygu. Ysgrifennodd: 'Mewn llun gweddol ei safon mae

afreidrwydd arferol pethau nad ydynt yn hanfodol yn bradychu tlodi'r welediad ... ym monoteip Chao Meng-Chien (trydedd ganrif ar ddeg) ... ni fyddai'n bosibl hepgor nag ychwanegu yr un llinell brws.'[7] Mae i baentiadau gorau Morris y cyflawnrwydd cymhellol y mae'n ei ddisgrifio yma – fel pe bai'r ddelwedd yn bodoli eisoes, a'r cyfan wnaeth yr artist oedd ei datgelu. Ategir hyn gan y ffordd y byddai'n paentio, fel pe bai yn 'dadrolio'r' paentiad, heb ddarlunio paratoadol. Disgrifiodd Maggi Hambling weld Morris yn gweithio ar baentiad: 'Roedd wedi dechrau yn y gornel chwith ar y top, ac roedd wedi cyrraedd tua dwy ran o dair o'r ffordd i lawr, ac roedd yn gwneud ei ffordd i lawr i'r gornel dde ar y gwaelod, lle byddai'n rhoi ei lofnod....'[8]

Yn ei gyfansoddiad hefyd mae Morris yn naddu'r ddelwedd, gan ganolbwyntio ar bennau a wynebau nes ei fod bron iawn yn eithrio popeth arall. Lle cynhwysir cefndir, fel arfer mae'n atgof brysiog o ofod generig – llinellau a blociau o liw a allai gynrychioli drws neu ffenestr (gweler portreadau *Lucian Freud*, rhif 31 tud 61 a *Glyn Morgan*, rhif 38 tud 66). Eto, yr effaith yw dwysáu effaith seicolegol y ddelwedd, anelu'r holl sylw at wynepryd ac edrychiad y testun, fel pe baem yn gwneud archwiliad agos o dan ficrosgop. Effaith arall yw ynysu'r unigolyn – sydd nid yn unig yn rhoi argraff o aruthredd ond hefyd o unigolrwydd – gan roi felly ddelweddau ag iddynt elfen ddirfodol gref.

Canmolir Morris yn aml am ei ddefnydd o

liw.[9] Mae ei baentiadau blodau a thirluniau yn dangos ei allu – a ffresni parhaol ei liwiau – ond mae o bosibl yn syndod i nodi fod lliw hefyd yn chwarae rhan hanfodol yn ei bortreadau. Yn nodweddiadol, mae'n gosod ei eisteddwyr yn erbyn cefndir o liw cryf, sydd naill ai yn cyd-fynd â neu yn ategu dillad y testun, gan greu cyfansoddiad unedig a dwysau effaith y ddelwedd, neu sydd yn creu gofod seicolegol. Er enghraifft, dangosir *Mary Butts* (rhif 8, tud 62) – gwraig oedd yn hoff iawn o bartïon ac oedd yn defnyddio cyffuriau yn drwm – yn erbyn cefndir uffernol. Mae ei siwmper oren, gwallt euraid a'r arlliw gwyrdd rhyfedd sy'n goleuo ei hwyneb, ynghyd â'r olwg syfrdan ar ei hwyneb, oll yn cyfuno i greu delwedd arbennig o angerddol.

Mae'n ymddangos fod i waith Morris yn y cyfnod hwn fwy yn gyffredin â'r ffordd o feddwl cyfredol ar y cyfandir nag â chelfyddyd Brydeinig. Roedd Morris a Lett Haines wedi symud i Baris ar ddiwedd 1920, ac ymhlith eu cylch cymdeithasol yno roedd nifer o *ex-pats* fel Nina Hamnett a Mary Butts, ond hefyd llawer o'r *avant-garde* rhyngwladol, gan gynnwys Kisling. Mae defnydd Morris o symleiddiad radical (ac afluniad) yn ei waith yn y 20au yn ein harwain yn anochel at gymariaethau â gwaith Kisling ac yn fwy penodol ei gyfeillion, Soutine a Modigliani (a fu farw ym 1920). Byddai Morris bron yn sicr o fod wedi gweld portreadau gan Modigliani, oedd wedi'u cynnwys mewn sioe o gelfyddyd Ffrengig yn Oriel Mansard yn Llundain yn ystod haf 1919, ac a fyddai i'w

Ffig. 8. Amedeo Modigliani, *Portread o Ferch* c.1917 (Tate, Llundain)

gweld gan werthwyr celfyddyd fel Paul Guillaume ym Mharis pan oedd Morris yno. Mae arddulliau darlunio Morris a Modigliani yn sicr yn agos iawn i'w gilydd, yn gwneud defnydd arwyddocaol o leihad ffurf a phurdeb llinell. Mae portreadau Morris agosaf at weithiau lleiaf gor-arddullaidd Modigliani, fel y portread o *Chaim Soutine* c.1916 (Staatsgalerie, Stuttgart) a'r *Portread o Ferch* c.1917 (Tate, Llundain), a ddangoswyd yn Orielau Lefevre yn Llundain ym mis Mawrth 1929. Gellid tynnu cymariaethau hefyd ag artistiaid eraill oedd yn gweithio ym Mharis ar yr un pryd, yn arbennig y rhai hynny oedd yn ymwneud â 'dychwelyd i drefn' fel Picasso, Derain a Severini, yn eu defnydd o ffurfiau clir, syml.[10]

Defnyddiod Morris a Lett Paris fel canolfan a theithiodd y ddau yn helaeth yn Ewrop yn y 20au cynnar. Roeddent yn yr Eidal ym 1922 – a gellir gweld dylanwad y paentwyr metaffisegol fel De Chirico am ychydig mewn paentiadau fel *Modryb Euraidd* 1923 (rhif 7, tud 51) a *Patisseries a Croissant* c.1922 (rhif 5, tud 50) – ac yn yr Almaen ym 1921 a 1922.

Yn sicr roedd gan Morris ddiddordeb yn y meistri Almaenig cynnar fel Cranach a Durer, ond mae'r cwestiwn a oedd yn gyfarwydd ag artistiaid y Neue Sachlichkeit ('Gwrthrychedd Newydd') Almaenig, ac a ddylanwadwyd arno ef ganddynt, yn fwy anodd i'w ateb. Nid oedd paentwyr fel Otto Dix a Christian Schad mor adnabyddus ym Mharis a Llundain yn y cyfnod hwn. Fodd bynnag, mae'n bosibl fod Morris wedi

gweld gwaith gan yr artistiaid hyn pan oedd ym Merlin ym 1921 a 1922. Mae'n debygol iawn erbyn 1922 iddo fod wedi dod ar draws Dix, oedd wedi arddangos paentiadau o buteiniaid ym Merlin, gan gynddeiriogi llawer, ac yn sicr ef oedd yr artist mwyaf adnabyddus (neu ddrwgenwog) yn yr Almaen. Gallai'r lliwiau coch, pinc ac oren uffernol ym mhortread Morris o *Mary Butts* ym 1924 fod yn atgof o bortread enwog Dix o'r newyddiadurwraig Sylvia Von Harden (a baentiwyd ym 1926). Fodd bynnag nid oedd Morris yn rhannu'r math o syniadau yr oedd Dix yn eu dilyn, ac a nodweddwyd ar y pryd fel Verism. Roedd '*Verism*' (neu '*verismo*' mewn Eidaleg) yn derm a ddefnyddiwyd am y tro cyntaf gan adolygwr yn y cyfnodolyn avant-garde, *Das Kunstblat* i ddisgrifio arddull baentio realaidd, ddigyfaddawd, rywfaint yn hen-feistraidd o ran ei olwg terfynol. Yn fwy penodol, defnyddiodd Paul Ferdinand Schmidt (a baentiwyd gan Dix) y term ym 1924 i ddisgrifio tuedd gymdeithasol feirniadol a'r 'gwrthodiad pesimistaidd o rith prydferthwch'[11] yng ngwaith Dix ac eraill. Mae gwaith Morris yn sicr yn gwrthod rith prydferthwch, ond mae dweud ei fod yn gwneud hynny drwy besimistiaeth ac fel ffordd o greu beirniadaeth gymdeithasol yn anghywir.

Ym Mhrydain roedd Morris yn flaenllaw yn y byd celfyddydol yn ystod y 20au a'r 30au, er bod tueddiad i'w esgeuluso mewn adroddiadau am y cyfnod. Ym 1951, wrth adolygu'r cyfnod 1918-38, honnai Hesketh Hubbard fod 'y portreadau amlycaf yn dod

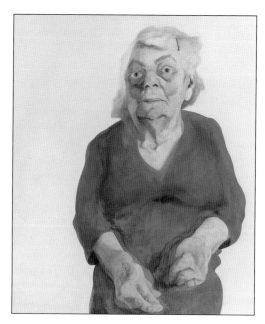

Ffig. 9. Maggi Hambling, *Portread o Frances Rose* 1973 (Tate, Llundain)

gan John, Orpen, Walter Russell, McEvoy, Connard a Glyn Philpot.'[12] Ysgrifennu am bortreadau mwy academaidd y mae Hubbard yma, ond os trown at ymarfer Fodernaidd ym Mhrydain fe welwn nad oedd unrhyw artist arall yn ymwneud cymaint â'r ffurf hwn yn y cyfnod. Gwnaeth llawer o gyfeillion a chyfoedion Morris – gan gynnwys Wood, Gertler a Roberts – ambell i bortread, ond ni ellir dweud i hynny gynrychioli rhan ganolog o'u gwaith fel y gellir dweud am Morris.

Tra bod tebygrwydd cryf mewn cyd-destun ehangach rhwng gwaith Morris a gwaith nifer o'i gyfoedion,[13] mewn portreadaeth mae'n achos unigol. Nid yn unig y mae ei ymroddiad i'r ffurf yn anarferol, ond mae ei agwedd hynod bersonol tuag at y problemau sydd ynghlwm â phaentio darlun argyhoeddiadol o fod dynol yn arbennig. Tra bod cyfoedion mor amrywiol â John Banting, Thomas Lowinsky a Stanley Spencer oll yn paentio portreadau eithriadol yn ystod y cyfnod hwn, mae Morris yn dal i sefyll ar wahân oherwydd angerdd digyfaddawd ei waith gorau.

Mewn blynyddoedd diweddarach, mae portreadau Morris wedi bod yn bwysig oherwydd ei ddau ddisgybl enwocaf, sydd ill dau wedi mynegi eu hedmygedd o'r agwedd hon o'i waith yn fwyaf oll. Mae dyled fawr gan waith cynnar Lucian Freud i'w athro, fel y gwelir yn arbennig yn ei bortread ei hun o Morris (rhif 92, tud 97) a gweithiau diweddarach fel ei bortread o *John Deakin* 1963-4 – sy'n glustiau ac yn drwyn i gyd, wedi'u torri'n dynn, â sylw a chanolbwyntio gofalus ar siâp y pen a nodweddion unigol – sydd hefyd yn dangos ymdeimlad cryf am ansawdd yr arwyneb. Tra bod arddull hynod hylifol ddiweddarach Maggi Hambling, a welir yn ei phortreadau diweddar o'i thad, ymhell o fod yn debyg i arddull Morris, mae ei gwaith o'r 70au, yn arbennig ei phortreadau o'i chymydog Frances Rose, yn ddyledus iawn i'w chyn athro, yn nhermau cyfansoddiad ac yn y defnydd o baent.

Mae'r digwyddiadau yn y Guggenheim Jeune ym 1938 a sylwadau Peggy Guggenheim fod y gweithiau yn wawdluniau annymunol, yn rhoi golwg werthfawr i ni ar sut y byddai'r cyhoedd, y *cognoscenti* a'r artist ei hun yn gweld portreadau Morris (yn enwedig mewn perthynas â'r paentiadau blodau). I raddau helaeth fe'u camddeallwyd. Ni ddylem fod mor barod i feirniadu. Mae'r portreadau hyn ymysg rhai o'r paentiadau mwyaf nodedig a wnaed ym Mhrydain yn ystod hanner cyntaf yr ugeinfed ganrif.

Nodiadau

1. Peggy Guggenheim *Out of this Century: Confessions of an Art Addict* Andre Deutsh 1980 tud 171-2. Mae adroddiad arall am yr agoriad yng nghofiant Joan Warburton nad yw wedi'i gyhoeddi *A Painter's Progress* (TGA 968.2.20): 'Clywais yn ddiweddarach i un eisteddwr, nad oedd yn ystyried fod ei bortread yn ei ddangos mewn golau da, wylltio cymaint nes iddo ei dynnu oddi ar y wal a sathru arno'.

2. Eric Newton, 'Uncompromising Portraiture: the temptations of water-colour' yn *Sunday Times* 27 Mawrth 1938

3. Richard Morphet, *Cedric Morris* cat. ardd. Oriel Tate 1984 tud 85

4. ibid. tud 80. Ceir trafodaeth o'r syniad o 'archwiliad' mewn celfyddyd Saesnig yn y cyfnod hwn gan Richard Morphet yn 'Realism in English Art 1919-39' *Cahiers du Musée National d'Art Moderne* rhifau 7/8, 1981, tud 342-345

5. Cedric Morris 'Concerning Flower Painting' *The Studio* CXXIII Mai 1942 tud 121-132

6. Ceir trafodaeth o wawdlun mewn celfyddyd gan E. H. Gombrich, yn *Art & Illusion* Phaidon 1960 tud 279-303

7. Cedric Morris op. cit.

8. Maggi Hambling, cyfweliad â'r awdur nad yw wedi'i gyhoeddi 30 Mai 1997

9. Geilw Morphet ef yn 'un o'r lliw-wyr mwyaf eithriadol yng nghelfyddyd Brydeinig yr ugeinfed ganrif' tud 87

10. Elizabeth Cowling a Jennifer Mundy *On Classic Ground: Picasso, Léger, de Chirico and the New Clacissism 1910-1930* cat. ardd. Oriel Tate 1990. Gweler yn arbennig cat. 48, 152, 156, 160

11. Dyfynnwyd gan Sarah O'Brien Twohig, *Otto Dix*, cat. ardd. Oriel Tate 1992, tud 108

12. Hesketh Hubbard, *A 100 Years of British Painting 1851-1951* Longmans 1951 tud 267. Er syndod, nid yw'r llyfr yn sôn am Morris o gwbl.

13. Gweler Morphet tud 34-41

Ffig. 10. Cedric Morris yn y stiwdio yn Benton End

Cedric Morris a Chymru: 'nid ar fara yn unig y bydd byw dyn'

Helen Waters

Mae i fan eu geni arwyddocâd gwahanol i wahanol bobl. Mae rhai yn gadael man eu geni pan fyddant yn rhy ifanc i gofio, heb ddychwelyd yno fyth a heb feddwl am y lle am funud; mae eraill yn treulio eu holl fywyd o fewn i ffiniau'r un dref neu bentref heb wybodaeth nac awydd am ddim arall. Mae eraill yn cael eu geni a'u magu mewn lle penodol sy'n aros gyda nhw am byth. Nid oes wahaniaeth a fyddant yn teithio'r byd neu ymhle y byddant yn ymgartrefu; eu cartref cyntaf yw'r lle y maent yn perthyn iddo mewn gwirionedd. Roedd Cedric Morris yn un o'r bobl hynny.

Ganwyd Morris ym 1889 yn y Sgeti, Abertawe yn ne Cymru. Roedd ei deulu wedi ymgartrefu yno flynyddoedd lawer ynghynt; yn wir creodd y barwnig cyntaf, Syr John Morris (1745-1819), oedd wedi gwneud ffortiwn o gopr a glo, faestref ddiwydiannol yn Abertawe a'i henwi ag enw'r teulu: mae Treforys yn dal yno heddiw. Magwyd Cedric ar Benrhyn Gŵyr, ac arhosodd ei gariad at dirwedd a phobl yr ardal gydag ef hyd at ei farwolaeth. Er iddo fynd i'r ysgol yn Lloegr, ac er na fu'n byw'n barhaol yng Nghymru ar ôl ei blentyndod, fel oedolyn dychwelai dro ar ôl tro i wlad ei eni a theimlai berthynas ddofn â hi. Efallai iddo etifeddu'r ymdeimlad gwladgarol hwn gan ei dad, a gynrychiolodd ei wlad ar y cae Rygbi fel chwaraewr rhyngwladol amatur (ac a adwaenid yn lleol fel 'Morris y Ffwtbol').[1] Yn sicr, credai Morris fod y wlad yn rhan ohono a'i wreiddiau. Mewn llythyr i Lett o Abertawe ym 1928 ysgrifennodd: 'Rwyf i wastad wedi dweud mai hon yw'r wlad hyfrytaf yn y byd ac felly y mae hi – mae mor brydferth fel na feiddiaf edrych arni – a sylweddolaf nawr fod fy holl baentio yn ganlyniad i hiraeth a dim byd arall – roeddwn i'n meddwl fy mod yn hiraethus am Loegr, ond dim o'r fath beth – hwn oeddwn i am ei gael a nawr wrth gwrs fyddaf i ddim yn gallu ei baentio – mae gormod i'w wneud – mae popeth yn baentiog [*paintally*] ac mae'n edrych fel fy nhirluniau ond 10 miliwn gwaith yn well – mae'r lliw yn rhyfeddol ac felly hefyd y siâp... efallai oherwydd i mi ddod allan ohono ...rwy'n credu fod yn rhaid fod gan Nhad ryw faw o'r ardd ar ei beth ar y noson y gwnaeth fi – beth bynnag, rwy'n berffaith hapus yma....'[2]

Roedd Cymru yn fwy i Morris na ffynhonnell ar gyfer ei baentiadau, er bod tirwedd y cymoedd wedi bod yn ysbrydoliaeth iddo ar gyfer rhai gweithiau rhyfeddol. I Morris, roedd Cymru yn gartref iddo fe ac yn gartref i'w bobl – teimlai ddyletswydd tuag atynt a thrwy gydol ei fywyd dychwelai at y nod o gyfoethogi eu bywydau diwylliannol. 'Mae rhywbeth yn fy nhynnu i ganol hyn' ysgrifennodd ym 1935 o Benclawdd, 'rwyf i'n dymuno mynd i ffwrdd ond allaf i ddim – rwy'n teimlo mewn ffordd ryfedd mai rhan ohonof a ddaeth allan ohono ac mewn rhyw ffordd rhaid i mi fynd yn ôl i mewn iddo.'[3]

Ysgrifennodd Morris y llythyr hwn ym 1935, blwyddyn a fyddai'n arwyddocaol yn yr ailymhoniad o hunaniaeth ddiwylliannol benodol Gymreig. Dyma'r flwyddyn y detholodd ac y trefnodd Morris, ynghyd ag Augustus John (gyda chefnogaeth nifer o Gymry cyfoethog a dylanwadol eraill)[4] arddangosfa o gelfyddyd gyfoes Gymreig, fu'n teithio'r wlad ac a arweiniodd at sefydlu Cymdeithas Gelfyddyd Gyfoes Cymru.[5] Agorodd yr arddangosfa yn Llyfrgell Genedlaethol Cymru, Aberystwyth ar 16 Gorffennaf 1935 a theithiodd yn gyntaf i Oriel Francis Davitt, Abertawe (13 Medi – 3 Hydref) ac yna ymlaen i Amgueddfa Genedlaethol Cymru, Caerdydd, lle caeodd ar ddiwedd mis Tachwedd. Mewn llythyr gan ysgrifennydd yr arddangosfa, Mrs Frances Byng-Stamper, fe'i disgrifiwyd fel 'yr arddangosfa deithiol gyntaf o'i bath sydd wedi'i threfnu erioed.' Roedd y datganiad a ryddhawyd i roi cyhoeddusrwydd i'r sioe yn dangos ymdeimlad angerddol, oedd yn adlewyrchu'r rhesymwaith emosiynol oedd wrth wraidd y digwyddiad:

Cedric Morris, *Bryn Llanmadog, Penrhyn Gŵyr*, 1928 (no. 16)

'YR ARDDANGOSFA GELFYDDYD GYMREIG GYFOES

Yr hyn a geisia'r arddangosfa hon yw dod â phwysigrwydd taer Celfyddyd yn ein datblygiad Cenedlaethol gerbron pobl Cymru. Ers tro bu'n amlwg fod y Celfyddydau gweledol, y cyfrwng gorau oll i fynegi enaid cenedl, wedi dioddef niwed a dirywiad mewn cyfnod a ddechreuodd ar ganol y ganrif ddiwethaf; a gallai fod lawn cystal i ni bwysleisio mai Celfyddyd yw'r mynegiant uchaf o weithgaredd dynol.

Yng nghanol y terfysg a achoswyd gan dwf a thrai diwydiannau mawr yn rhy aml taflwyd greddfau creadigol ein pobl o'r neilltu yn y frwydr am fara beunyddiol (ond) … fe ysgrifennwyd nad ar fara yn unig y bydd byw dyn … ac mae'n hanfodol fod rhagor ohonom yn cymryd sylw er mwyn anfeidroldeb ein hil. Credwn hefyd y dylai y Cymry, sydd â'u canfyddiadau artistig yn fwy bywiog na'r eiddo cenhedloedd eraill, gynnig arweiniad pendant yn nadeni diwylliannol yr Ynysoedd hyn: rydym felly wedi dod ynghyd ar gyfer eu harddangos, Paentiadau a Cherflunwaith gan Gymry gwirioneddol gyfoes, gartref a thramor: yr hyn a olygir gan y gair cyfoes yw y gwahoddwyd cydweithrediad gan y rhai hynny sy'n cynrychioli orau Artistiaid Cymreig sydd â'u gweledigaeth yn addas i'w cyfnod eu hunain ac a allai ychwanegu i'r traddodiad Celfyddyd a Gwareiddiad a elwir CYMRU'. [6]

Er gwaethaf y cyfnod cythryblus y cynhaliwyd yr arddangosfa yndd, neu efallai oherwydd hynny, profodd yr arddangosfa deithiol hon yn boblogaidd iawn ymhlith y cyhoedd. Nododd Morris mewn llythyr i Lett o Gastell Maenorbŷr, cartref Frances Byng-Stamper[7] ar 28 Gorffennaf 1935 fod 'popeth i'w weld yn mynd yn iawn yn Aberystwyth. 2000 o ymwelwyr â'r arddangosfa mewn un wythnos'.[8] O'i lythyrau yn y cyfnod, gallwn ddilyn Morris o gwmpas Cymru, ar ei ben ei hun yn aml, ar adegau gyda John, yn gweithio yn ddiflino ar yr arddangosfa, yn ogystal ag ymweld ag arweinwyr gwleidyddol yn y rhanbarth a rhoi sgyrsiau ar baentio i lowyr di-waith yr ardal. Roedd Morris yn boenus o ymwybodol o'r tlodi a'r problemau yr oedd pobl yn eu profi yn wyneb diweithdra eang a chanlyniadau eraill y dirwasgiad. Mae'n ysgrifennu'n fanwl iawn gyda gwir syndod a pharch at y ffordd yr oedd pobl yn ymdopi – 'mae'r ffordd y mae'n rhaid iddyn nhw fyw yn wirioneddol dorcalonnus'.[9] Ar adegau mae ei anobaith yn dangos pesimistiaeth: mewn llythyr arall at Lett a ysgrifennwyd ar 8 Awst 1935 mae'n dweud: 'Mae'n ofnadwy i feddwl nad oes dim ar eu cyfer – na all De Cymru fyth wella ac y byddan nhw a'u plant yn gorfod marw yn y tlodi gwarthus hwn – naw wfft i ddiwydiannu'.[10] Ac eto, ymysg y negyddiaeth hwn, daw edmygedd ac optimistiaeth: mae'n gorffen yr un llythyr drwy ddweud, 'does dim o'r teimlad marw hwnnw o unigedd a difaterwch ac oferedd yma – brwdfrydedd plentynnaidd i wybod ac i ddeall ac i'w diwyllio eu hunain – wrth gwrs wnawn nhw fyth gyda'r holl

Cedric Morris, *Y Tipiau 1935* (rhif 27)

stwff gwael yma a roddir iddyn nhw, ond mae'r brwdfrydedd hwn yn gysur mawr ar ôl Lloegr.' Roedd Morris wastad wedi teimlo ei fod yn perthyn fwy yng Nghymru nag yn Lloegr ac yn aml byddai'n troi ei ddicter ynghylch y sefyllfa yn ne Cymru yn erbyn y Saeson. Mewn llythyr arbennig o chwerw mae'n ysgrifennu: 'Dwyf i ddim yn meddwl y gallaf barhau i fyw yn Lloegr ... mae gen i gywilydd o fod yn Sais a rwy'n casáu Lloegr, ond does unman arall fel pe bai'n bosibl i mi fynd iddo ... – a nawr beth fydd yn digwydd i Gymru? ...Dwyf i erioed yn fy mywyd wedi teimlo unrhyw beth fel hyn ... Heb os hwn yw y nam olaf ar hanes gwaradwyddus, a gorau po gyntaf y bydd yr hwren ddrewllyd hon o wlad yn cael ei chwythu i'r môr – ond y byddai hynny'n baeddu'r môr. O na byddai rhywbeth y gallai person ei glymu ei hun iddo fyddai yn erbyn hyn i gyd, ond does dim – hunanfoddhad bras ymhobman – efallai ryw ychydig o lowyr ofnus sy'n hanner llwgu, y mae'n rhaid eu llofruddio beth bynnag er mwyn gwneud lle ar gyfer mwy o hunanfoddhad. Wn i ddim beth i'w wneud drostyn nhw...'[11]

Roedd Morris yn teimlo yn wleidyddol analluog i helpu ei gyd-Gymry ac efallai, oherwydd hyn, penderfynodd ddefnyddio'r hyn oedd ganddo i'w helpu: ei bwrs a'i dalent. Yn ystod y cyfnod hwn, byddai'n aml yn lletya yng nghartrefi glowyr di-waith, oedd yn ddiolchgar am yr incwm ychwanegol.[12] Dechreuodd eu dysgu hefyd. 'Rwy'n dechrau dosbarthiadau nos ar gyfer gwahanol fathau o gynllunio a chrefftau llaw – 2 noson yr wythnos a phob

prynhawn...' ysgrifennodd at Lett o Dŷ
Gwernllwyn yn Nowlais ym mis Rhagfyr
1939, '...Rydyn ni'n dechrau â phapur wal,
ychydig o liwiau woolworth, brwsys,
pensiliau ac ychydig o glai rhagorol o'r
mynyddoedd – maen nhw i gyd yn ifanc
neu eithaf ifanc – fe arhosaf am rai
wythnosau i ddechrau hyn yn iawn. Mae'n
debyg dy fod yn credu ei fod yn orffwyll ac
nad oes yna dalent, ond efallai fod yna...'
Parhaodd â'r dosbarth hwn am fis cyn ei
drosglwyddo. Prynwyd Tŷ Gwernllwyn gan
Miss Mary Horsfall ac fe'i trodd yn
sefydliad addysgol. Agorwyd y sefydliadau
hyn ar draws de Cymru yn ystod y 30au fel
ffordd o ddatblygu addysg ac ymdeimlad o
gymuned ymysg y nifer cynyddol o bobl
ddi-waith.[13] Daeth Cedric yn un o
ymddiriedolwyr Tŷ Gwernllwyn a
pharhaodd i ymweld yn gyson, yn rhoi
sgyrsiau a chymryd dosbarthiadau.

Parhaodd Morris i gefnogi celfyddyd yn ne
Cymru ar ôl ei ymdrechion gwreiddiol yn y
1930au. Ym 1946 daeth yn Llywydd
Cymdeithas Gelfyddyd De Cymru. Ynghyd
â Ceri Richards a David Kighley Baxandall
(cyn Geidwad Celfyddyd yn yr Amgueddfa
Genedlaethol), roedd yn un o'r detholwyr
ar gyfer arddangosfa gyntaf Grŵp De
Cymru (a adwaenir bellach fel y Grŵp
Cymreig). Agorodd yr arddangosfa hon yn
Oriel Pyke Thompson yn yr Amgueddfa
Genedlaethol yng Nghaerdydd ym 1949 ac
yna teithiodd y wlad. Roedd y sioe yn
cynnwys gwaith nifer o gyfeillion a
myfyrwyr Morris: Esther Grainger, oedd yn
gyfrifol am ddysgu yn sefydliad Pontypridd;
Heinz Koppel, a gyfarfu â Morris drwy

Ffig. 11. Cerdyn post gan Cedric i Lett o
Faenorbŷr, Cymru

Grainger ac a ddaeth yn athro paentio yn y Sefydliad Addysgiadol ym Merthyr Tudful; Renate Fishl, un o fyfyrwyr Cedric yn East Anglia, a briododd Koppel; Arthur Giardelli, oedd yn dysgu yn Nowlais, a Glyn Morgan, myfyriwr arall iddo. Erbyn 1955 roedd wedi dod yn aelod artist o'r grŵp ei hun. Gwahoddodd Cymdeithas Gelfyddyd Gyfoes Cymru, yr oedd Morris wedi helpu i'w sefydlu yn ôl yn y 30au, ef i fod yn Is-Lywydd ym 1967 a chadwodd y swydd honno hyd at 1981 pan oedd dros naw deg mlwydd oed.

Ad-dalwyd cefnogaeth Morris i'r sefydliadau celfyddydol hyn, sydd oll yn dal i fodoli heddiw, gyda'u cefnogaeth hwy ohono yntau fel artist. Prynwyd ei waith yn gyson gan Gymdeithas Gelfyddyd Gyfoes Cymru a'i ailddosbarthu i amgueddfeydd ac orielau ledled y wlad, ac arddangoswyd ei waith yng Nghymru drwy gydol ei oes.[14] Yn ystod ei amser yn dysgu neu yn trefnu arddangosfeydd, ni pheidiodd Morris â phaentio ei hun. Yn ystod ei gyfnod yn y sefydliad yng Ngwernllwyn, paentiodd yr ardal o gwmpas yn Nowlais – swyddfa'r post, y tipiau, yr eglwys (rhifau 26 a 27). Rhoddodd tirwedd Cymru ddeunydd dibendraw iddo, oedd yn aml yn ei orlethu: ym 1933 ysgrifennodd o Scotland House, Solfach: 'Welais i erioed Gymru mor hyfryd … mae'n rhoi'r bendro i mi'. Tua'r un pryd paentiodd gynfas wych o'r dref (rhif 23, tud 54), sydd fel pe bai yn dangos, yn syml ond yn effeithiol, yr ymdeimlad greddfol o le oedd ganddo am ei famwlad.

Mae perthynas Morris â'i famwlad yn rhoi golwg i ni ar y dyn, nid yn unig fel artist ac athro – ei ddwy rôl fwyaf adnabyddus; ond hefyd fel hyrwyddwr, fel cynrychiolydd gwleidyddol. Roedd yn ddyn oedd yn cydymdeimlo â'r bobl ac yn adnabod eu hanghenion a'i gyfrifoldebau ei hun, ond a oedd yn aml yn teimlo'n hollol ddi-rym i newid y sefyllfa. Fodd bynnag, fe barhaodd â'i frwydr am hawl dyn i fyw ar fwy na bara yn unig.[15] Fe sicrhaodd hyd yn oed os nad oedd gan bobl ddigon i'w fwyta yn ystod y Dirwasgiad yng nghymoedd de Cymru, y gallent o leiaf ymgeisio am fywyd oedd yn cwmpasu celfyddyd a diwylliant ac oedd yn galluogi iddynt godi uwchben y caledi llym oedd yn gymaint rhan o'u bywyd beunyddiol. Yn y ffordd hon, fe helpodd Morris i achub bywydau ei bobl, nid yn unig drwy ei boced, gyda'r rhent yr oedd yn ei dalu i'r teuluoedd yr oedd yn aros gyda hwy, ond drwy ei ddysgu a'i gefnogaeth i gyd-artistiaid ac yn ei gred fod pobl Cymru yn haeddu'r hawl i fywyd a threftadaeth ddiwylliannol lawn cymaint â neb arall.

Nodiadau

1. Catalog Arddangosfa Adolygol Cedric Morris, Cyngor Celfyddydau Cymru/Amgueddfa Genedlaethol Cymru 1968 tud 3

2. TGA 8317.1.4.52. Mae'r holl lythyrau y dyfynnir ohonynt yn cael eu cadw yn Archif y Tate, Llundain.

3. Aiff yn ei flaen 'Dywedodd Grenfel yr AS wrthyf ar ôl ei ddarlith – ydych chi'n sylweddoli fod eich enw chi ar un o'r llefydd gwaethaf yn Ne Cymru, ac atebais i fy mod – roeddwn i yno ddoe – yna dywedodd – fe'm ganwyd yno a bûm yn gweithio am 23 o flynyddoedd o dan ddaear – ac yna dywedodd aeth Morris o Abertawe i ffwrdd a daeth Morris o Abertawe yn ei ôl – felly

dywedais i fod Morris o Abertawe wedi marw a dywedodd ef nad oedd yn credu hynny – roedd fel siarad â'r prifathro yn yr ysgol.' Llythyr dyddiedig Awst 8 1935. TGA 8317.1.4.94.

4. Roedd y rhain yn cynnwys Clough Williams-Ellis, crëwr Portmeirion; Wynne Cemlyn-Jones, bargyfreithiwr ac awdur; Isaac Williams, Ceidwad Celfyddyd yn Amgueddfa Genedlaethol Cymru ar y pryd a'r chwiorydd Frances Byng-Stamper a Caroline Byng-Lucas.

5. Wedi llwyddiant arddangosfa deithiol 1935 a'r arddangosfa a ddilynodd yn yr Eisteddfod Genedlaethol yn Abergwaun ym 1936, gwnaed penderfyniad i sefydlu Cymdeithas Gelfyddyd Gyfoes Cymru (CGGC). Cynhaliwyd y cyfarfod cyntaf yng Ngwesty Gorsaf y Great Western ym Mhaddington ar 16 Ebrill 1937. Dywedodd Phyllis Bowen, cyfaill i Morris ac aelod o CGGC mewn llythyr ym mis Hydref 1983 i'r syniad am y Gymdeithas gael ei drafod yn gyntaf yn The Pound a bod Augustus John a Cedric Morris hefyd wedi'i drafod yng Nghastell Talacharn ac yn ddiweddarach wedi ymgynghori â Frances Byng-Stamper, oedd yn byw gerllaw yng Nghastell Maenorbŷr. Ceir rhagor o wybodaeth am CGGC yng Nghatalog Arddangosfa Hanner Canmlwyddiant Cymdeithas Gelfyddyd Gyfoes Cymru, 1987, Amgueddfa Genedlaethol Cymru, Caerdydd.

6. TGA 8317.1.2.11

7. Yn ogystal â bod yn ysgrifenyddes arddangosfa 1935 ac yn drefnydd arddangosfa'r Eisteddfod ym 1936, roedd Frances Byng-Stamper yn aelod o Gymdeithas Gelfyddyd Gyfoes Cymru am dros ddeng mlynedd ar hugain a daeth yn Is-Lywydd ym 1961. Yn yr un flwyddyn sefydlodd ac ariannodd gystadleuaeth oedd ar agor i artistiaid Cymreig (gwobr Byng-Stamper) gyda Kenneth Clark fel beirniad ac a enillwyd gan Will Roberts am y gwaith *Fferm ger Cimla*. Mae'r gwaith hwn bellach yng nghasgliad Amgueddfeydd ac Orielau Cenedlaethol Cymru. Bu Byng-Stamper yn byw am lawer o flynyddoedd yng Nghastell Maenorbŷr, lle byddai Morris yn aros yn aml. Roedd ei chwaer, Caroline Byng-Lucas, hithau yn artist. Ym 1935, blwyddyn yr arddangosfeydd teithiol, pan oedd Morris a Byng-Stamper yn gweithio'n agos â'i gilydd, paentiodd bortread o'r ddwy chwaer, gyda'r teitl Y *Chwiorydd*, ac a gyfeirid ato'n aml fel 'Y Dosbarthiadau Uwch Seisnig' (rhif 24, tud 64). Mae'r darlun yn un trawiadol, ond heb fod yn dangos y chwiorydd mewn golau rhy dda, ac fe sorrodd y ddwy. Gadawodd y ddwy Gymru ym 1939, gan symud i Lewes ac agor Oriel Miller. Ceir rhagor o wybodaeth am y chwiorydd a'u gwaith yn Diana Cook, *The Ladies of Miller's* 1996, Dale House, Llundain.

8. TGA 8317 1.4.91

9. Dyfynnwyd o lythyr a ysgrifennwyd ym mis Gorffennaf 1938 TGA 8317 1.4.92

10. TGA 8317 1.4.93

11. TGA 8317 1.4.106

12. Mewn llythyr dyddiedig 13 Awst 1935 ysgrifenna: 'Newydd gael swper – dathlu mawr daeth cwningen o rywle i wneud swper i chwech – fi yn un ohonyn nhw –unwaith yr wythnos yn unig maen nhw'n cael cig felly roedd hwn yn ychwanegol – a golwyth cig mollt bach iawn tenau iawn yw'r ddogn wythnosol – rwyf i wedi bod yn tybied beth sydd wedi bod yn digwydd i fy 30/– a heddiw daeth i'r amlwg – maen nhw wedi bod yn ei gadw i brynu glo at y gaeaf – yn y wlad hon o lo maen nhw'n gorfod bod yn oer yn y gaeaf... byddaf yn falch o fedru ymadael – bob dydd mae mwy a mwy ohono i'w weld – y rheswm na allaf i gael ystafell ymhellach i fyny'r Cwm yw eu bod i gyd yn pentyrru gyda'i gilydd yn y tai i arbed rhent – does dim lle ond mae digon o fythynnod gwag – hyn oll a llawer mwy ym 'mro fras Morgannwg' digon ym mhobman ond does gan bobl ddim digon i'w fwyta – naill ai rwy'n gwallgofi neu mae gweddill y byd yn gwneud.' TGA 8317 1.4.95

13. Gellir olrhain dechreuadau'r Sefydliadau Addysgol hyn i 1901 pan fynegodd staff yng Ngholeg y Brifysgol yng Nghaerdydd ddiddordeb mewn gwaith 'estyn' (darparu presenoldeb addysgiadol y tu allan i furiau'r Brifysgol ac o fewn y gymuned) a gosod sefydliad yn Sblot. Tyfodd niferoedd y sefydliadau hyn, yn arbennig yn ystod y 1920au a'r 1930au yn ne Cymru, pan olygodd y Dirwasgiad ei bod yn fwyfwy angenrheidiol i ddarparu cyfleoedd i gymunedau lleol gael gwahanol bethau i'w gwneud, dysgu sgiliau newydd a chynnal ei gilydd yn ystod amser anodd iawn. Ceir rhagor o wybodaeth am y Sefydliadau Addysgol yn Keith Davies *Classes, Colleges and Communities: Aspects of a hundred years of adult education in the South Wales Valleys*, 2002 (heb ei gyhoeddi hyd yma)

14. Cynhaliwyd arddangosfa adolygol o'i waith yn yr Amgueddfa Genedlaethol yng Nghaerdydd ym 1968. Ysgrifennodd Lett-Haines y cyflwyniad i'r catalog.

15. Mewn cyfweliad a ddarlledwyd o Gaerdydd ar 21 Chwefror 1947, fe'i clywyd yn dweud yr union eiriau hyn – y 'dylid atgoffa pobl Cymru yn aml nad "ar fara yn unig y bydd byw dyn"'. Mae hyn yn adleisio'r datganiad a wnaed gan Frances Byng-Stamper ym 1935 ar ran trefnwyr yr Arddangosfa Gelfyddyd Gyfoes Gymreig.

Ffig. 12. Lett Haines yn ei stiwdio yn Benton End, 1974

Lett Haines: yr artist yn y llong awyr

Nicholas Thornton

Ym 1926 detholwyd Lett Haines i fod yr unig artist o Brydain yn yr *Arddangosfa Ryngwladol* o gelfyddyd fodern oedd i'w chynnal yn Amgueddfa Brooklyn, Efrog Newydd. Bwriadwyd yr arddangosfa, oedd yn cynnwys artistiaid o fri rhyngwladol fel Ferdinand Léger, Joan Mirò, Pablo Picasso, Juan Gris a Georgia O'Keefe, fel arolwg o gelfyddyd Fodernaidd yn yr Unol Daleithiau ac Ewrop. Yn y catalog, disgrifiodd Katherine Dreier Lett Haines fel a ganlyn:

> yr unig Sais yr wyf wedi gweld neu ddod ar draws ei waith sy'n dangos dealltwriaeth o'r hyn y mae'r Modernwyr yn ei hawlio fel safbwynt. Mae'n rhaid ei fod yn byw mewn llong awyr gan ei fod yn teithio yn ôl a blaen rhwng Llundain a Pharis gymaint.[1]

Mae'r ffaith i Lett gael ei gynnwys yn yr arddangosfa, ochr yn ochr â'r datganiad hwn, yn dangos yn glir fod y curaduron yn Amgueddfa Brooklyn yn gweld fod ei waith yn deilwng i'w ystyried ochr yn ochr â gwaith artistiaid y mae eu lle bellach wedi'i sefydlu'n gadarn yn hanes celfyddyd yr ugeinfed ganrif. O ystyried hyn, cyfyd y cwestiwn pam fod Lett wedi'i esgeuluso mor gyson yn hanes celfyddyd Prydeinig.

Ar yr achlysuron y mae ei waith wedi cael ei drafod, y duedd yw sôn amdano wrth basio fel atodiad i drafodaethau am fywyd a gwaith ei bartner, Cedric Morris. Bwriad y traethawd hwn yw mynd i'r afael â'r mater a chynnig cyflwyniad i artist y mae ei waith yn haeddu sylw pendant.

Mae ffeithiau bywgraffyddol bywyd cynnar Lett yn dal i fod yn ansicr, a dim ond ar ôl iddo gwrdd â Cedric y deuant yn gliriach. Cyfarfu'r ddau ym mis Tachwedd 1918 a chwympo mewn cariad ar unwaith. Ym 1919 gwahanodd Lett oddi wrth ei ail wraig Aimée i gychwyn perthynas dymhestlog ond ymroddgar â Cedric, a barhaodd hyd at farwolaeth Lett ym 1978. Fel yn achos Cedric, ychydig iawn o hyfforddiant ffurfiol yn y celfyddydau gweledol oedd gan Lett. Gan ei ddisgrifio ei hun fel 'datblygwr hwyr' fel artist, roedd yn 24 oed cyn y gallod roi ei fywyd 'yn rhydd i ymarfer y celfyddydau cain'.[2] Roedd Lett a Cedric yn datblygu i fod yn artistiaid o ddifri erbyn iddynt symud i Newlyn, Cernyw ym 1919 ac yna i Baris yn gynnar ym 1921. Er iddynt ddychwelyd yn aml i Lundain a theithio yn eang yn Ewrop a Gogledd Affrica, Paris oedd y lle a ddisgrifiwyd gan Lett fel 'pencadlys am y deng mlynedd nesaf'.[3] Yn ystod y cyfnod

hwn cafodd Lett fwynhau mwy o
foderniaeth Ewropeaidd yn gyson nag
unrhyw artist Prydeinig yn ystod y 1920au;
a'r profiad hwn yw'r allwedd i ddeall ei
waith dilynol.

Mewn datganiad hunangofiannol yn dyddio
o 1969 dywedodd Lett mai y prif
ddylanwadau arno: 'ar wahân i'r Clasurol
oedd Wyndham Lewis yn Llundain ym
1918, Georgio de Chirico yn yr Eidal ym
1922, W. Kandinsky yn yr Almaen ym 1923
a Pablo Picasso yn Ffrainc.'[4] Mae'n ansicr i
ba raddau yr oedd gan Lett fynediad at yr
artistiaid hyn a'u gwaith, ond gwyddom
iddo gwrdd â Wyndham Lewis yn Llundain
ac i Lewis ymweld â'u cartref yng
Nghernyw yn ystod 1919. Os na chyfarfu yn
uniongyrchol â'r tri artist arall, mae'n
debygol iawn ei fod wedi cael cyfleoedd i
weld eu gwaith yn ystod ei deithiau yn yr
Eidal, yr Almaen a Ffrainc. Mae
dyddiaduron a llyfrau nodiadau o'r 1920au
yn datgelu ystod eang o gysylltiadau yn y
cymunedau artistig a llenyddol ym Mharis
gan gynnwys Man Ray, Constantin
Brancusi, Ossip Zakadine, Jean Cocteau a
Ernest Hemingway.[5] Mae ei wybodaeth
soffistigedig o ystod eang o arddulliau
avant-garde yn allweddol i ddeall
datblygiad gwaith Lett. Yn wahanol i
Cedric, oedd yn gweithio bron yn llwyr o
fewn i draddodiad Saesnig, gellir gweld i
Lett ymateb i alwad Wyndham Lewis ar i
artistiaid o Brydain eu hystyried eu hunain
yn 'Ewropeaidd yn gyntaf, ac i baentio a
meddwl ar gyfer y gynulleidfa honno.'[6]

Mae *Cyfansoddiad* 1922 (rhif 57, tud 80),
un o weithiau pwysicaf Lett o'r 1920au, yn

Ffig. 13. Lett Haines yn yr ardd

40

dangos yn glir ei barodrwydd i ymchwilio i'r datblygiadau diweddaraf mewn celfyddyd Ewropeaidd. Gellir gweld y darlun fel cyfuniad gwybodus o'r tueddiadau *avant-garde* diweddaraf, yn trafod *pastiche* gyda chyfansoddiad unigolyddol ac argyhoeddiadol. Mae corn llong neu drên, delwedd a ailadroddir dro ar ôl tro yng nghelfyddyd oes y peiriant, yn dominyddu'r blaendir; fe'i dangosir yn erbyn tirwedd ddychmygol a grëwyd gan fwyaf o ffurfiau geometrig wedi'u symleiddio. Mae'r ffurfiau tywyll a golau sy'n cyd-gloi ar ben uchaf yr ochr chwith, ynghyd â'r cysgodi arddulliedig ar y ffurfiau silindrog, yn awgrymu gwybodaeth o baentiadau Puryddol o'r 1920au cynnar gan Charles-Édouard Jeanneret ac Amédée Ozenfant, yn ogystal â phaentiadau Léger o'r un cyfnod.[7]

Fodd bynnag mae'r gwahaniaethau rhwng *Cyfansoddiad* a gwaith yr artistiaid hyn mor glir â'r tebygrwydd. Tra bod yn well gan y Puryddion liwiau tawel gan osod eu ffurfiau syml yn fflat yn erbyn plân y llun, roedd Lett yn dewis paled fwy llachar, gan osod ei ffurfiau mewn haenau gwahanol o ofod darluniadol. Mae *Cyfansoddiad* hefyd ymhell o amcan y Puryddion o gynhyrchu paentiadau yn sgil gwybodaeth o broses resymol a chwilio am drefn resymegol. Mae'r cylchoedd consentrig haniaethol sy'n ymddangos fel pe baent yn arnofio yn y blaendir ar y dde, sydd eu hunain yn atgof o Giwbiaeth Orffig Sonia a Robert Delauney, yn cyfrannu at greu ymdeimlad o ryfeddod arallfydol sydd hefyd yn bresennol mewn motiffau eraill yn y

paentiad.[8] Er enghraifft mae'r faner goch uwchben yr adeilad bach ar y gorwel yn perthyn i ddefnydd de Chirico o faneri tebyg yn nifer o'i baentiadau 'metaffisegol' gan gynnwys *Dirgelwch a Phruddglwyf Stryd* 1913. Gwelwn nad oedd gan Lett fawr o ddiddordeb mewn dilyn un mudiad neu ddull ac roedd yn barod i integreiddio dulliau ac agweddau gwahanol o fewn un gwaith. Mae *Cyfansoddiad* yn creu datganiad unigolyddol drwy awgrymu dau gyfeiriad gwrthfgyferbyniol yng nghelfyddyd Paris yn y 1920au: rhesymolrwydd Puryddiaeth a dirgelwch enigmatig de Chirico.

Mae gallu Lett i fabwysiadu a defnyddio amrediad o ffynonellau modernaidd yn cyferbynnu ag agwedd Cedric. Er i Cedric arbrofi ychydig â ffurfiau *avant-garde* yng nghanol y 1920au, yn fwyaf llwyddiannus mewn gweithiau haniaethol fel *Arbrawf ag Ansawdd* 1923 (rhif 6, tud 50), roedd ei waith ar y cyfan heb fod ag unrhyw ddylanwad celfyddyd flaengar arno.[9] Ar adegau pan wneir cyfeiriad at ffurfiau modern fel yn *Modryb Euraidd* 1923 (rhif 7, tud 51), ymddengys eu bod yn cael eu defnyddio bron i bwrpas parodi. Mae'r ffurfiau pensaernïol dyfodolaidd yn *Modryb Euraidd*, sy'n ymdebygu i'r bensaernïaeth ym mhaentiadau Lett fel *Difyrrwch* 1922 (rhif 51), wedi'u paentio ag uniongyrchedd ansoffistigedig. Mae'r lletchwithdod a ganlyn yn tanseilio'r soffistigedigrwydd hynod *avant-garde* y mae'n ei ddynwared. Mae darlleniad fel hyn o *Modryb Euraidd* yn cael ei atgyfnerthu gan y ffaith mai y ffigur yn y siwt yw Lett yn aros am ei etifeddiaeth yn dilyn marwolaeth perthynas. Mae Cedric wedi dangos ei gariad o fewn 'tirwedd fodernaidd' sy'n adlais o waith Lett ei hun.

Mae'r cyferbyniad yn eu hagwedd a'u harddulliau yn rhoi golwg i ni o'r derbyniad cyferbyniol a gafodd y ddau ym Mhrydain yn y 1920au. Roedd y radicaliaeth oedd wedi bod yn gymaint rhan o gelfyddyd Brydeinig cyn y Rhyfel Byd Cyntaf wedi diflannu i raddau helaeth erbyn y 1920au. Cynrychiolid celfyddyd 'flaengar' ym Mhrydain gan foderniaeth ddiogel ôl-argraffyddiaeth Bloomsbury, oedd, er gwaethaf iddo edrych at Baris am ysbrydoliaeth, i raddau helaeth yn anwybyddu'r datblygiadau ers Ciwbiaeth. Mewn hinsawdd o'r fath, byddai'n anodd dychmygu y byddai moderniaeth soffistigedig Lett yn derbyn fawr o glod gan y beirniaid. Ar y llaw arall roedd gwaith Cedric mewn sefyllfa ddelfrydol i gael derbyniad mwy ffafriol.[10] Roedd symlrwydd uniongyrchol, bron yn naïf ei baentiadau fel *Bryn Llanmadog, Penrhyn Gŵyr* 1928 (rhif 16, tud 32) yn gosod ei waith yn agos at arddulliau *faux-naïve* Christopher Wood, Ben Nicholson a'u cymdeithion yn y Gymdeithas 7&5. Byddai hyn wedi bod yn fanteisiol i Cedric ar gyfer datblygu ei yrfa yn y 1920au a'r 1930au.[11]

Mae dadansoddiad o flynyddoedd Lett ym Mharis wedi dangos artist oedd, er iddo fod wedi'i ddatgysylltu oddi wrth ddamcaniaethau a manifestos, yn deall ac yn barod i ddysgu oddi wrth y datblygiadau diweddaraf. Un o nodweddion parhaol ei

waith yw ei ysbryd swrrealaidd. Mae paentiadau fel *Pwerau yn Gwywo* 1922 (rhif 55, tud 79) yn dangos perthynas â syniadau a delweddaeth swrrealaeth, er iddo gael ei baentio ddwy flynedd cyn i swrrealaeth gael ei sefydlu yn swyddogol fel mudiad. Ar ôl dychwelyd i Brydain ym 1926, a symud i unigedd cymharol East Anglia, parhaodd Lett yn fyw i ddatblygiadau diweddar mewn celfyddyd fodern. Yr hyn sy'n arbennig o arwyddocaol am waith Lett yn y 1930au yw iddo gadw ei berthynas â swrrealaeth, a'i fod yn perthyn i ddelweddaeth a ddefnyddid gan swrrealwyr Prydeinig fel John Banting a Grace Pailthorpe. Yn ei waith mwy ffigurol yn y 1930au, mae dewis ac ymdriniaeth Lett o destun yn annog cymariaethau â gwaith Edward Burra o'r un cyfnod. Roedd y ddau yn gweithio bron yn llwyr ar bapur, yn cynhyrchu celfyddyd a arweinid gan fynegiant dychmygus a theatrigrwydd creadigol. Tra bod gan Burra gysylltiadau nes â'r swrrealwyr Saesnig na Lett, roedd yn dal i fod yn ffigur ymylol yng ngweithgaredd y grŵp.

Er bod gan Lett gyswllt anffurfiol ag aelodau swyddogol y grŵp swrrealaeth Prydeinig, yn fwyaf nodedig drwy ei gyfeillgarwch hir â John Banting, ymddengys na fu'n arddangos gyda'r grŵp erioed nag iddo gael unrhyw gyswllt swyddogol â'r mudiad.[12] Awgrymir ei swrrealaeth drwy iddo fabwysiadu themâu cyffredinol a fyddai'n apelio at yr ymdeimlad swrrealaidd: erotiaeth, ysbrydolrwydd a 'chyntefigrwydd' egsotig. Mae *Y Ceffyl Tywyll* 1934 (rhif 65, tud 76) yn ymddangos ar yr olwg gyntaf fel golygfa gynrychioliadol o dref yng Ngogledd America. Mae golwg agosach yn dangos fod y gwaith yn gyforiog o fotiffau a digwyddiadau anesboniadwy. Mae'r bensaernïaeth uwchben y prif fwâu yn datgelu 'dinas gudd' tra bod y galigraffeg a'r pictogramau ar ochr chwith yr olygfa yn arysgrifau mewn iaith ryfedd, Arabeg yr olwg. Ar waelod yr ochr dde gwelir cyrff yn gwingo mewn ing neu orfoledd mewn seler gudd. Drwy'r holl olygfa ceir drysau ac agoriadau sy'n awgrymu'r posibilrwydd o symud i fannau y tu hwnt i'r byd rhesymegol.

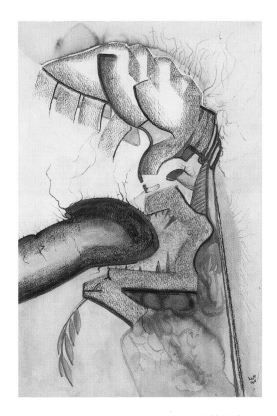

Lett Haines *Merthyrdod Purple Hampton* 1955 (rhif 66)

Mae *Merthyrdod Purple Hampton* 1955 (rhif 66) yn cyfleu erotiaeth treisgar y gellir ei gysylltu hefyd ag agweddau o theori celfyddyd swrrealaidd. Mae elfennau yn y gwaith hwn yn cyflwyno arddull galigraffeg rydd Lett a fabwysiadodd fel techneg hefyd yn ei waith mwyaf haniaethol. Gan ymddangos fel pe baent wedi'u harwain gan effeithiau siawns a'r posibilrwydd o ystyr wedi'i greu drwy gysylltiad, gweithiau fel *Di-deitl (Darlun Awtomatig)* c.1965 (rhif 68) yw mynegiadau mwyaf haniaethol Lett o ysbryd swrrealaidd.

Er bod Lett yn symud drwy amrediad eclectig o arddulliau ac agweddau, y ffigur dynol yw ei destun mwyaf arhosol. Yn *Cyfansoddiad* 1922 (rhif 57, tud 80) mae'r testun yn cael ei drin mewn ffordd haniaethol; mae'r ffurfiau llwyd hylifol yng nghanol yr ochr dde yn awgrymu pen ac ysgwyddau ffigur, tra bod awgrym o'r ffurf ddynol, y tro hwn mewn ffurf fwy geometric, ar waelod yr ochr chwith. Yn *Pwerau yn Gwywo*, cyfeirir at y ffurf ddynol yn fwy penodol; mae ffigur bach y dyn yn fychan o'i gymharu â grisiau yn arwain i 'bensaernïaeth' ryfedd sydd wedi'i chyfansoddi o ffurfiau organig ag iddynt lygaid amlwg. Ar waelod ochr dde y gwaith hwn gellir gweld yn glir amlinelliad o ddyn noeth yn eistedd. Mae'r ddau ddull hwn o ddangos y corff dynol – yn fychan iawn ger strwythur pensaernïol dychmygus ac wedi'i leihau yn amlinelliad enigmatig – yn ddelweddau sy'n codi dro ar ôl tro yng ngwaith Lett yn y 1920au. Daeth lleihau y ffurf ddynol yn amlinelliad yn ddull cyffredin o ddangos y corff dynol yng ngwaith diweddarach Lett hefyd. Er enghraifft, yn *Di-deitl, (Blodau, Ffenestr a Ffigurau)* 1957 (rhif 67), mae'r blodau wedi'u hintegreiddio â grŵp o ffigurau sy'n cwympo i greu dathliad orgiastig o epiliogrwydd dynol a blodeuol.

Yn ystod y 1930au, mae'n ymddangos fod cynnyrch Lett wedi lleihau ac fe fu'n arddangos yn llai rheolaidd. Gellir esbonio hyn yn rhannol gan amgylchiadau ei fywyd ac yn arbennig gan iddo droi oddi wrth ei waith ei hun er mwyn hyrwyddo gyrfa Cedric. O 1937 ymlaen roedd yn gweithio llawn amser ar redeg yr East Anglian School of Painting and Drawing. Fel y dywedodd Lett ei hun ym 1969: 'Ym 1937 fe sefydlais yr East Anglia School of Painting and Drawing yn Dedham yn Essex ... sydd wedi mynd â'r rhan fwyaf o fy egni ers hynny.'[13] Lett oedd yn rheoli'r Ysgol, yn gwneud y gwaith gweinyddol a llawer o'r dyletswyddau domestig ynghlwm â rhedeg

y tŷ. Yr enghraifft fwyaf nodedig yw'r prydau bwyd yr oedd yn eu cynhyrchu yn ddyddiol yn Benton End; yn gogydd rhagorol, byddai fel arfer yn gyfrifol am goginio dau bryd y diwrnod. Roedd gwaith mor anhunanol ar ran yr Ysgol, y myfyrwyr a Cedric yn anochel yn cael effaith ar faint o amser yr oedd yn gallu ei roi i'w waith ei hun. Efallai nad yw'n gyd-ddigwyddiad iddo fedru cynhyrchu mwy o waith yn ystod y 1960au pan nad oedd Benton End yn gweithredu bellach fel ysgol a phan oedd Millie Hayes wedi cymryd llawer o'r dyletswyddau domestig.

Gwelodd y blodeuo hwyr hwn yng ngyrfa Lett newid sylweddol yn ei ddulliau gweithio. Er iddo barhau i weithio ar bapur, ei brif ffocws o ganol y 1960au ymlaen oedd cyfres o gerfluniau hynod o ddyfeisgar yr oedd yr artist yn eu grwpio dan yr enw generig *petites sculptures*. Er ei fod wedi cynhyrchu nifer o gerfluniau bach yn gynt yn ei yrfa, gan gynnwys *Duwiau'r Llyn (Tunisia)* 1925 (rhif 71) a *Cacen Fwd* c.1930 (rhif 72), dyma oedd cyfnod hir cyntaf Lett yn gweithio mewn tri dimensiwn.[14] Mae Joan Warburton, oedd yn ymwelydd cyson â Benton End yn gwneud cyfeiriad anecdotaidd ond dadlennol at waith Lett yn ystod y cyfnod hwn yn ei dyddiadur: 'Dyna lle y mae, yn y llofft, yn yfed gin, ysmygu sigarau, yn gwneud "teganau" anllad allan o *objects-trouvé*, ac yn paentio yn araf.'[15]

Yr hyn sy'n hynod o arwyddocaol am 'deganau anllad' Lett yw ei ddefnydd dychmygus o wrthrychau y deuai o hyd iddynt. Mae ryw natur chwareus, amharchus i'r gweithiau hyn, sydd braidd yn swrreal. Fel arfer, roedd yn 'dod o hyd' i'r gwrthrychau hyn yn yr ardal o gwmpas Benton End – esgyrn o'r potyn coginio neu lysiau o'r ardd. Yn *Moronen wedi'i Phobi* (rhif 76), mae'r llysieuyn, gyda gwythiennau wedi'u gwneud o linyn, wedi'i roi ar sail fel ei fod yn pwyntio ar i fyny mewn ystum sy'n herfeiddiol o ffalig. Yn *Ensemble du Banquet* (rhif 80) mae esgyrn wedi'u paentio i greu creadur fel sarff, tra yn *Petit Sculpture (Gellygen y Ddaear)* (rhif 77) mae llygaid dol wedi'u hychwanegu i'r gwraidd i greu anghenfil arall dychmygus o frawychus. Mae defnydd chwareus Lett o ddeunyddiau a chyfeiriadau at bynciau a themâu a archwiliwyd mewn gwaith cynharach yn golygu fod y petites sculptures yn grynhoad digrif ond arwyddocaol o lawer o'i syniadau a'i ddiddordebau allweddol. Ceir adlais o'r gwaith hwn yng ngherflunwaith diweddarach un o fyfyrwyr enwocaf Lett, Maggi Hambling.

Lett Haines *Petites Scuptures* (Rhif. 75-80)

Yr hyn sy'n arbennig o ryfeddol am y gwaith a gynhyrchodd Lett yn ystod ei yrfa o drigain mlynedd yw'r ysbryd o arbrofi ac ymholi. Roedd yn artist oedd yn gallu sylwi a deall amrediad o ffynonellau artistig i gynhyrchu gwaith oedd yn cynnal gwreiddioldeb arbennig. Nid oedd yn barod fyth i hyrwyddo ei yrfa drwy weithio mewn dull ffasiynol neu gyfredol, eto aberthodd cymaint o'i uchelgais ei hun i hyrwyddo'r EASPD, ei fyfyrwyr ac yn bennaf oll, gwaith Cedric. Y gobaith yw y bydd cryfder ac amrywiaeth gwaith Lett, a ddatgelir yn yr arddangosfa hon a'r cyhoeddiad sy'n ategu ati, yn ein hannog ni oll i edrych yn agosach ar ei waith a rhoi iddo ei le cyfiawn yn hanes celfyddyd yr ugeinfed ganrif ym Mhrydain.[16]

Nodiadau

1. Katherine S. Dreier, *International Exhibition* cat. ardd. Amgueddfa Brooklyn, Efrog Newydd, 1926. Mae papurau Lett bellach yng Nghanolfan Ymchwil Hyman Kreitman yn Tate Britain, yn rhan o archif Morris (TGA 8317)

2. Lett Haines, Hanes Gyrfa Artistig, nad yw wedi'i Gyhoeddi, 1969 TGA 8317.6.3.2

3. TGA 8317.6.3.2.

4. TGA 8317.6.3.2.

5. Mae llyfr nodiadau, yn cynnwys rhestr o ddigwyddiadau a phobl o dan benawdau blynyddol, yn cynnwys Kiki Smith, Man Ray, Peggy Guggenheim, Nancy Cunard, Juan Gris a Ossip Zakadine fel 'dramatis personae' blynyddoedd Lett ym Mharis. (Gweler TGA 8317.7.3.5.) Gweler Richard Morphet, *Cedric Morris* cat. ardd. Tate Gallery 1984 tud 22-26 am ragor o drafodaeth am fywyd a chysylltiadau Cedric a Lett ym Mharis yn ystod y 1920au.

6. Wyndham Lewis, Llythyr i John Quinn, 14 Mehefin 1920. Dyfynnwyd yn Charles Harrison *English Art and Modernism 1900-1939*, Yale University Press 1981, tud 148

7. Byddai Lett wedi cael digon o gyfle i weld enghreifftiau o waith Léger. Astudiodd Morris o dan Léger yn yr Académies Moderne ac roedd hefyd yn rhan o'u cylch cymdeithasol ym Mharis. Gweler Morphet (1984) tud 23

8. Yn benodol astudiaethau Sonia a Robert Delaunay o oleuadau stryd Paris (1913-14).

9. Er nad oes fawr o debygrwydd o ran pwnc, arddull na chyfrwng rhwng gwaith Cedric a Lett, mae'r gwaith a gynhyrchwyd yn ystod dechrau i ganol y 1920au yn dangos rhywfaint o ryngweithio. Mae techneg Lett o bigo ffurfiau haniaethol a ffigurol drwy dynnu motiffau llinellol dros y prif gyfansoddiad (er enghraifft gweler rhifau 55 a 59) hefyd yn cael ei fabwysiadu gan Cedric. Er enghraifft yn narlun Cedric *Y Cyfnos Celtaidd* 1924 (sydd i'w weld yn Morphet (1984), tud 30) mae'n defnyddio'r dechneg i ddangos ffurfiau drychiolaethol pobl a buwch.

10. Dylid nodi hefyd mai ffactor cymhellol ym mhenderfyniad Lett i adael Paris ym 1926 oedd ei ddymuniad i hyrwyddo gyrfa Cedric, a theimlai y gellid gwneud hynny drwy ddychwelyd i fyw a gweithio ym Mhrydain.

11. Am drafodaeth ar y symudiadau mewn agweddau at gelfyddyd flaengar a gwerthoedd traddodiadol yn ystod y cyfnod hwn gweler Richard Morphet 'Realism in British Art 1919-1959' yn *Cahiers du Musée National d'Art Moderne*, rhifau 7/8 1981 tud 322-325

12. Roedd Lett yn adnabod Banting ers y 1920au cynnar. Paentiodd Cedric ddarlun ohono ym 1923 (sydd i'w weld yn Morphet (1984), tud 24) ac roeddent yn rhannu'r un cylch cymdeithasol ym Mharis. Roedd hefyd yn ymwelydd cyson â The Pound yn ystod y 1920au. Mae Maggi Hambling yn cofio fod Lett yn cyfeirio ato'i hun fel 'Swrrealydd Seisnig' (Maggi Hambling, cyfweliad â Ben Tufnell sydd heb ei gyhoeddi, 30 Mai 1997)

13 TGA 8317.6.3.2

14. Mae catalog arddangosfa unigol Lett yn The Minories, Caer Colun ym 1974 yn rhestru 55 o enghreifftiau o *petites sculptures* a gynhyrchwyd rhwng 1965-74.

15 Joan Warburton Dyddiadur 19 Mawrth 1975 TGA 968.2

16. Hoffwn ddiolch i Maggi Hambling, Glyn Morgan, Gwynneth Reynolds, Robert Short a Bod Wright am eu hatgofion o'r EASPD a'u golwg ar fywyd a gwaith Lett Haines.

Yr Artistiaid

Syr Cedric Morris 1889-1982

Bywgraffiad

Ganwyd Cedric Lockwood Morris ym 1889 ger Abertawe. Roedd ei dad, George Morris, a'i fam, Wilhemina, ill dau yn dod o deuluoedd cyfoethog oedd â chysylltiadau diwydiannol a glofaol cryf yn ne Cymru. Ym 1947 etifeddodd Cedric y farwniaeth deuluol, gan ddod yn 9fed Barwnig. Parhâi yn falch o'i wreiddiau Cymreig ac roedd yn gefnogwr i'r celfyddydau yng Nghymru drwy gydol ei oes. Roedd yn un o sylfaenwyr Cymdeithas Gelfyddyd Gyfoes Cymru ac yn Llywydd Cymdeithas Gelfyddyd De Cymru. Roedd hefyd yn gyd-sylfaenydd Cymdeithas Gelfyddyd Caer Colun ym 1946.

Ar ôl bod yn Charterhouse gweithiodd a theithiodd yng Ngogledd America. Ym 1914 aeth i Baris a chofrestru yn yr Académie Delacluse ym Montparnasse i astudio celfyddyd. Torrwyd ar draws yr astudiaethau hyn gan y Rhyfel Byd Cyntaf, ac ar ôl methu prawf meddygol y fyddin, treuliodd lawer o'r Rhyfel yn hyfforddi ceffylau ar gyfer y fyddin.

Yn Llundain ym 1918 cyfarfu ag Arthur Lett-Haines a ddaeth yn bartner gydol oes iddo. Bu'r ddau yn byw yn Newlyn, Cernyw o 1919-20 ac ym Mharis o 1920-26, gan deithio yn helaeth yn Ewrop a Gogledd Affrica, cyn symud yn ôl i Lundain, lle cafodd Morris gyfres o arddangosfeydd hynod o lwyddiannus.

Ym 1929, cymerodd y ddau The Pound, ger Higham yn Swydd Suffolk, ar rent, ac ym 1920 fe adawsant Lundain a defnyddio'r tŷ ffarm fel canolfan barhaol, gan sefydlu'r EASPD yno ym 1927. Ym 1940, yn dilyn y tân yn yr Ysgol yn Dedham, symudodd y ddau i Benton End, Hadleigh, a ddaeth yn gartref ac yn safle ar gyfer yr EASPD.

Ar ôl cyfnod o arbrofi 1919-26, roedd gwaith Morris, i raddau rhyfeddol, yn gyson o ran arddull am weddill ei yrfa. Nodweddir ei baentio gan arsylwadau uniongyrchol, ansawdd arwyneb bywiog a lliw angerddol. Ei brif bynciau oedd blodau, adar, portreadau, bywyd llonydd a thirluniau.

Detholiad o Arddangosfeydd

1922 Bragaglia Casa d'Arte, Rhufain (gyda
Lett Haines)

1928 Koninklijke Kunstzaal, Yr Hâg

1928,1930,1934 Arthur Tooth & Sons,
Llundain

1938 *Portreadau*, Guggenheim Jeune,
Llundain

1968 Amgueddfa Genedlaethol Cymru,
Caerdydd

1980 The Minories, Caer Colun

1984 Oriel Tate, Llundain; Amgueddfa
Genedlaethol Cymru, Caerdydd; The
Minories, Caer Colun

1990 Oriel Redfern, Llundain

Llyfryddiaeth Ddethol

RH Wilenski, 'Introduction' yn *Stoneware
Pottery by WS Murray, Paintings &
Drawings by Cedric Morris* cat. ardd. Arts
League of Service, Llundain 1924

Cedric Morris 'Concerning Flower
Painting' yn *The Studio* CXXIII Mai 1942
tud 121-132

Ronald Blythe, 'Introduction' yn *Sir Cedric
Morris* cat. ardd. The Minories 1980

Richard Morphet, *Cedric Morris* cat. ardd.
Oriel Tate 1984

5. Cedric Morris, *Patisseries a Croissant,* c.1922

6. Cedric Morris, *Arbrawf ag Ansawdd,* 1923

9. Cedric Morris, *Morwr yn Dawnsio*, 1925

7. Cedric Morris, *Modryb Euraidd*, 1923

51

13. Cedric Morris, *O Ffenestr Ystafell Wely yn 45 Brook Street, W.1.*, 1926

20. Cedric Morris, *Gorlifiant Afon Stour*, 1930

23. Cedric Morris, *Solfach*, 1934

26. Cedric Morris, *Swyddfa'r Post Caeharris, Dowlais*, 1935

36. Cedric Morris, *Gardd Adeg Rhyfel*, c. 1944

35. Cedric Morris, *Yr Wyau*, 1944

40. Cedric Morris, *Ratatouille*, 1954

15. Cedric Morris, *Adar yr Awyr*, 1928

41. Cedric Morris, *Tirlun Cywilydd*, c.1960

1. Cedric Morris, *Hunan-bortread*, 1919

2. Cedric Morris, *Arthur Lett Haines*, 1919

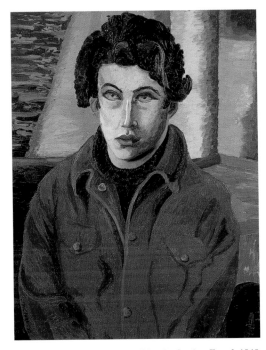

31. Cedric Morris, *Lucian Freud*, 1940

18. Cedric Morris, *Hunan-bortread*, 1930

61

8. Cedric Morris, *Mary Butts*, 1924

10. Cedric Morris, *Yr Ymwelydd o'r Swistir*, 1925

24. Cedric Morris, *Y Chwiorydd* (*Y Dosbarthiadau Uwch Seisnig*), 1935

30. Cedric Morris, *David a Barbara Carr*, c.1940

28. Cedric Morris, *Antonia White*, 1936

38. Cedric Morris, *Glyn Morgan*, 1949

49.Cedric Morris, *Bywyd Llonydd,* 1921

51. Cedric Morris, *Ffasgwyr yn Rhufain* , 1922

50. Cedric Morris, *Café Rhufeinig,* 1922

47. Cedric Morris, *Golygfa Café,* 1921

67

39. Cedric Morris, *Aderyn Du a Blodau*, 1952

19. Cedric Morris, *Tiwlip Du*, c.1930

44. Cedric Morris, *Blodau Mewn Potyn Glas*, 1966

33. Cedric Morris, *Gellesg*, 1941

34. Cedric Morris, *Eginblanhigion Gellesg*, 1943

Arthur Lett Haines 1894-1978

Bywgraffiad

Ganwyd Arthur Lett yn Llundain ym 1894. Ym 1916, yn dilyn marwolaeth ei dad, newidiodd ei enw drwy weithred, gan ychwanegu cyfenw ei lystad Sydney Haines i'w gyfenw ei hun. Yn ddiweddarach, gollyngodd ei enw bedydd; gan ddefnyddio Lett fel enw cyntaf, daeth i gael ei adnabod gan bawb fel Lett Haines.

Roedd Lett yn briod â'i ail wraig Aimée (bu farw ei wraig gyntaf pan oedd Lett ond yn ddwy ar bymtheng mlwydd oed) pan gyfarfu â Cedric Morris ym mis Tachwedd 1918. Cwympodd y ddau mewn cariad ar unwaith a gwahanodd Lett oddi wrth Aimée ym 1919 i ddechrau perthynas dymhestlog ond ymroddedig â Morris a barhaodd am weddill eu bywydau. Fel Morris, cafodd Lett nifer o gariadon, gan gynnwys perthynas tymor hir gyda'r artist a'r awdur Kathleen Hale.

Sefydlodd yr EASPD ym 1937 ac ef oedd yn rhedeg yr Ysgol, gan ddelio â'r holl ddyletswyddau rheolaethol a gweinyddol. Roedd yn gogydd o fri a chofir y prydau a goginiai am eu rhagoriaeth egsotig a hefyd fel achlysuron cymdeithasol pwysig ym mywyd Benton End. Hefyd ymgymerodd â'r dasg o hyrwyddo a rheoli gyrfa Morris, gan alluogi iddo yntau ganolbwyntio ar ei baentio a'i arddio ei hun.

Mae gwaith Lett yn nodedig am ei ymroddiad i arbrofi. Mae felly yn anodd i'w gategoreiddio, er iddo ei alw ei hun yn 'swrrealydd Saesnig'. Yn bennaf roedd yn gweithio mewn dyfrlliw ar bapur. Ond hefyd gwnaeth baentiadau mewn olew, gludwaith, cynllunio tecstilau a cherflunwaith.

Mae papurau Lett yn Archif y Tate yn dangos iddo fod yn awdur yn ogystal ag yn artist. Mae cerddi a dramâu i gyd-fynd ag amrediad o lyfrau ffeithiol yn delio ag ystod eang o bynciau. Roedd yn ddeallusyn – yn soffistigedig a chosmopolitan ac yn feirniad cymeriad craff. Roedd yn adnabyddus am ei ddeallusrwydd, ei gyngor da a'i hiwmor ac fe'i gelwid (yn eironig) yn 'Father' gan lawer o'r myfyrwyr.

Detholiad o Arddangosfeydd

1922 Bragaglia Casa d'Arte, Rhufain (gyda Cedric Morris)

1926 *Cedric Morris, Lett Haines: English Moderns*, Oriel Little Review, Efrog Newydd

1926 Gallerie Leven, Palais Royale, Paris

1926 *International Exhibition*, Museum of Modern Art, Brooklyn, Efrog Newydd

1931 Oriel St George, Llundain

1936 Picture Hire Limited, Llundain

1966, 1974, The Minories, Caer Colun

1984 *Paintings Drawings and Petites Sculptures*, Oriel Redfern, Llundain

Llyfryddiaeth Ddethol

Katherine S. Dreier, *International Exhibition*, Museum of Modern Art, Brooklyn, Efrog Newydd 1926

Lett Haines: Petites Sculptures 1965-74 Paintings and Drawings 1919-74 cat. ardd. The Minories 1974

Richard Morphet 'Introduction' yn *Arthur Lett Haines: Paintings Drawings and Petites Sculptures* cat. ardd. Oriel Redfern, Llundain 1984

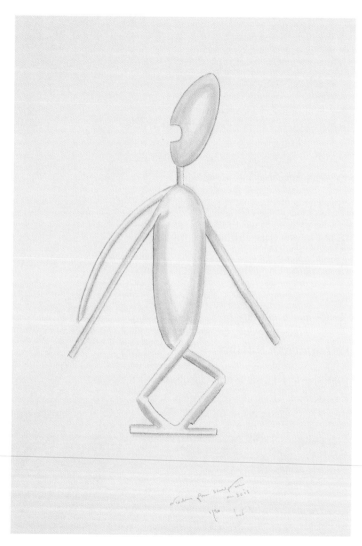

54. Lett Haines, *Etude pour Sculpture en Bois*, 1920

60. Lett Haines, *Astudiaeth o Cedric Morris*, 1925

61. Lett Haines, *Astudiaeth o Cedric Morris (yn lledorwedd)*, 1925

53. Lett Haines, *Hen Orsaf Rheilffordd Brighton*, 1920

64. Lett Haines, *Y Ceffyl Tywyll*, 1934

62. Lett Haines, *Yr Helfa Lewod*, 1929

63. Lett Haines, *Y Ddihangfa*, 1951

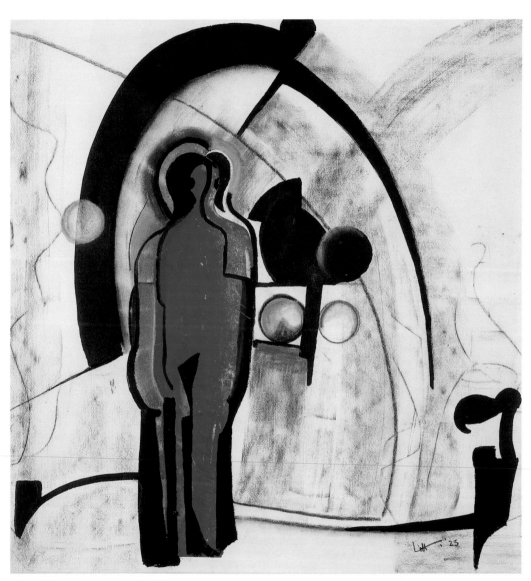

58. Lett Haines, *Cyfansoddiad*, 1923

55. Lett Haines, *Pwerau yn Gwywo*, 1922

57. Lett Haines, *Cyfansoddiad*, 1922

73. Lett Haines, *Regardant*, 1959

74. Lett Haines, *Ffetis Gwrach (Portread o Maggi)*, 1962

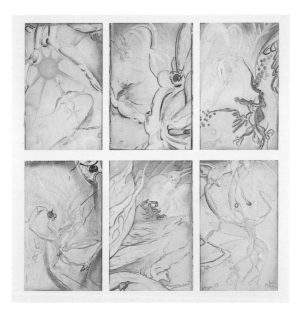

70. Lett Haines, *Vue d'une Fenêtre*, 1967

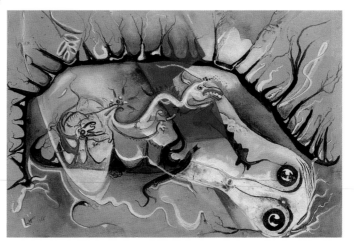

69. Lett Haines, *Dolly Druan*, 1966

Frances Hodgkins 1869-1947

Bywgraffiad

Ganwyd Hodgkins ym 1869 yn Dunedin, Seland Newydd, ac aeth i Ysgol Gelfyddyd Dunedin ym 1895-6. Ym 1901-03 fe deithiodd yn Ewrop a Morocco. Dychwelodd i Ewrop ym 1906, gan ddysgu paentio mewn nifer o wledydd Ewrop cyn sefydlu ym Mharis ym 1908. Ym 1913 ar ôl dychwelyd am gyfnod i Seland Newydd, sefydlodd yn St Ives, Cernyw, ddaeth yn gartref iddi hyd at 1920.

Yn y 1920au symudodd rhwng Ffrainc a Lloegr ond ym 1928 gwnaeth gartref mwy parhaol yn Llundain mewn ymgais i sicrhau cydnabyddiaeth ehangach i'w gwaith. Yn ystod y 1930au paentiodd mewn nifer o leoliadau ym Mhrydain gan gynnwys Suffolk, Cernyw a Chymru. Ym 1939 sefydlodd yng Nghastell Corfe, Dorset, fyddai'n gartref iddi am weddill ei hoes.

Trodd adnabyddiaeth Hodgkins o Lett Haines a Morris yn gyfeillgarwch ym 1919-20 pan oeddent i gyd yn byw yng Nghernyw. Anogodd y ddau ddyn Hodgkins yn ei huchelgais artistig ac yn ystod y 1920au cyflwynwyd hi i nifer o orielau a gwerthwyr gan y ddau, yn ogystal â'i chynnig fel aelod o'r 7&5. Ar 24 Chwefror 1930 ysgrifennodd at Lucy Wertheim: 'mae'r ffaith fy mod yn gweithio yma heddiw mewn cyflwr o ryddid ac annibyniaeth cymharol yn ddyledus i raddau helaeth i gyfeillgarwch Lett a Cedric.' Paentiodd bortread o Lett yn Treboul ym 1927 (gwerthwyd yn Christie's 12 Mawrth 1993, lot 13) a phortread o Morris (rhif 81) ym 1930 pan oedd yn aros yn The Pound.

Ym 1940 cynrychiolodd Prydain yn y Biennale yn Fenis ac roedd ei henw fel artist Prydeinig pwysig wedi'i sefydlu.

Detholiad o Arddangosfeydd

1933, 1937, 1940, 1943, 1946 Oriel Lefevre, Llundain

1935, 1941, 1956, Orielau Leicester, Llundain

1952 *Ethel Walker, Frances Hodgkins, Gwen John*, Oriel Tate, Llundain

1954, 1959, 1969, 1979, 1991, 1994 Oriel Gelfyddyd Dinas Auckland, Seland Newydd

Llyfryddiaeth Ddethol

Myfanwy Evans, *Frances Hodgkins*, Penguin Modern Painters 1948

EH McCormick, *Portrait of Frances Hodgkins*, Oxford University Press 1981

Linda Gill gol., *The Letters of Frances Hodgkins*, Auckland University Press 1993

Iain Buchanan, Michael Dunn ac Elizabeth Eastmond gol., *Frances Hodgkins: Paintings and Drawings*, Thames and Hudson 1995

81. Frances Hodgkins, *Dyn â Macaw (Portread o Cedric Morris)*, 1930

82. Frances Hodgkins, *Melin Flatford*, 1930

Lucy Harwood 1893-1972

Bywgraffiad

Ganwyd Lucy Harwood ym 1893 yn Belstead Park, ger Ipswich, a threuliodd ei hoes gyfan yn Swydd Suffolk. Astudiodd yn Ysgol Gelfyddyd Slade cyn 1914 ac yn ôl Lett Haines 'yn ddiweddarach honnodd, yn ddi-sail, iddi gael ei diarddel am ei bod yn ddiffygiol wrth arlunio…'. Astudiodd yn yr EASPD o 1937 ymlaen; arhosodd yn ffyddlon i Morris a Lett Haines a byddai bob amser yn dangos gwaith gorffenedig iddynt i gael eu cymeradwyaeth.

Roedd Harwood yn paentio ei hamgylchedd: tirwedd yr ardal, bywyd llonydd o flodau a llysiau, portreadau o gyd-fyfyrwyr a phobl leol. Nodweddir ei gwaith gorau ag uniongyrchedd, lliw cryf a rhyw fath o *naiveté* neu ddiffyg soffistigedigrwydd sy'n cyfathrebu ymateb angerddol a phersonol iawn i'r testun. Roedd Harwood yn dioddef o rithwelediadau a pharlys yn ei hochr dde. Roedd hyn yn ei gorfodi i baentio â'i llaw chwith, a gallai hynny gyfrif am ansawdd anwastad, braidd yn anghonfensiynol ei gwaith.

Roedd Morris yn amlwg yn ddylanwad cryf ond yn ôl Lett roedd hi hefyd yn teimlo 'affinedd â Vincent Van Gogh, Amedeo Modigliani, Paul Gaugin, Chaim Soutine ac eraill' – artistiaid y mae eu gweithiau yn nodedig am eu huniongyrchedd a'u mynegolrwydd. Yn wir, adwaenid Harwood fel 'Van Gogh Sussex', ac mae gwaith fel *Tirlun â Gwylanod* (rhif 84) yn perthyn yn amlwg i *Cae Gwenith â Brain* Van Gogh, yn y testun a'r ymdriniaeth.

Detholiad o Arddangosfeydd

1952 Orielau Flint House, Norwich

1975, The Minories, Caer Colun

1985, 1989 Sally Hunter Fine Art, Llundain

Llyfryddiaeth Ddethol

Arthur Lett Haines, 'Introduction' yn *Lucy Harwood, Commemorative Exhibition*, cat. ardd., The Minories 1975.

83. Lucy Harwood, *Bywyd Llonydd â Physgod*, c.1940

84. Lucy Harwood, *Tirlun â Gwylanod*, d.d.

85. Lucy Harwood, *Yr Arwydd*, d.d.

David Carr 1915-68

Bywgraffiad

Ganwyd David Carr yn Wimbledon, Llundain ym 1915. Ym 1934 ar ôl bod yn Ysgol Uppingham aeth i'r busnes teuluol – bisgedi Peak Frean. Ym 1936, wedi'i ddadrithio â'r byd masnachol, aeth i Goleg Exeter, Rhydychen, i astudio Hanes. Yn ystod y cyfnod hwn ymwelodd â'r Eidal lle, yn dilyn ei brofiad o gelfyddyd a phensaernïaeth Eidalaidd, penderfynodd adael Rhydychen a dilyn gyrfa fel artist.

Ym 1939 cychwynnodd yn Ysgol Gelfyddyd Byam Shaw yn Llundain. Yn ddiweddarach yn yr un flwyddyn cofrestrodd yn yr EASPD ac roedd yn fyfyriwr preswyl am dair blynedd. Fe'i cyflwynwyd i'r ysgol gan gyd-fyfyriwr, Barbara Gilligan, a phriododd hi ym 1942. Yn dilyn cyfnod yn byw yng Ngwlad yr Haf, prynodd y ddau Starston Hall, ffermdy mawr ger Harleston yn Swydd Norfolk lle sefydlodd Carr ei stiwdio yn yr atig. Ym 1956 cyd-sefydlodd Cymdeithas Gelfyddyd Gyfoes Norfolk.

Mae gwaith cynnar Carr, fel y portreadau o bysgotwyr Lowestoft a baentiwyd yn niwedd y 1940au yn dangos dylanwad Morris, yn arbennig yn eu huniongyrchedd, symlrwydd ffurf a chonsýrn am ansawdd yr arwyneb. Roedd Carr yn gefnogwr cynnar i Lowry, ac roedd ei waith yntau yn ddylanwad, yn arbennig wrth drin paent, defnyddio lliw ac archwilio delweddaeth anfantais

gymdeithasol. Mae dieithrwch tynn ei bortreadau yn y 1940au hefyd yn adleisio gwaith Freud yn y cyfnod.

Roedd cymhelliad Carr dros ddewis testun yn rhannol oherwydd consýrn cymdeithasol. Ym 1949, yn dilyn astudiaethau o weithwyr yn ffatri fisgedi'r teulu, dechreuodd ar ei gyfres *Dyn a Pheiriant* yn dangos gweithwyr wedi'u cyfuno â ffurfiau peirianyddol (rhif 90). Adlewyrchir ei ddiddordeb yn y pwnc hwn yng ngwaith ei gyfaill Prunella Clough a archwiliodd themâu tebyg yn y 1950au. Yn y 1960au dechreuodd Carr baentio mewn dyfrlliw, yn aml mewn llyfrau braslunio 'thematig'. Mae'r astudiaethau dyfeisgar hyn yn dangos symudiad tuag at yr haniaethol. Ym 1967 ymwelodd Carr ag Efrog Newydd a chynhyrchodd gerflunwaith ac astudiaethau haniaethol yn seiliedig ar ei brofiad o'r Ddinas.

Detholiad o Arddangosfeydd

1954 *British Painting & Sculpture,* Oriel
Gelfyddyd Whitechapel

1969 Oriel Berthe Schaefer, Efrog Newydd

1972 *Drawings, Watercolours, Paintings
and Sculpture*, Amgueddfa'r Castell,
Norwich

1987 Oriel Mayor, Llundain

1997 *David Carr & Prunella Clough: Works
1945-64*, Austin Desmond Fine Art,
Llundain

Llyfryddiaeth Ddethol

Barbara Carr ac Eric Fowler, *Drawings,
Watercolours, Paintings and Sculpture by
David Carr* cat. ardd. Amgueddfa'r Castell,
Norwich 1972

Bryan Robertson a Ronald Alley, *David
Carr: The Discovery of an Artist* Quartet
Books 1987

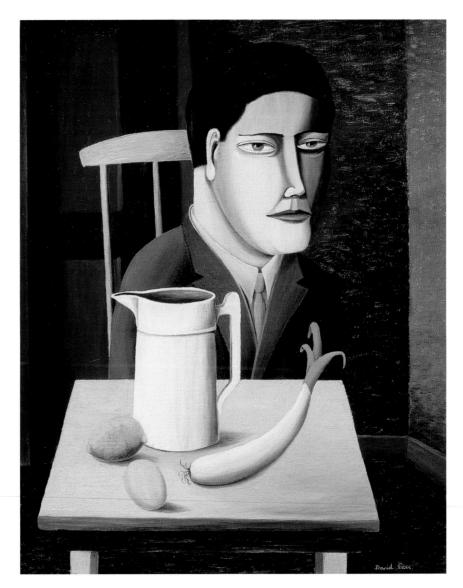

89. David Carr, *Hunan-bortread*, c.1947

90. David Carr, *Dyn a Pheiriant VI*, c.1952

Lucian Freud g.1922

Bywgraffiad

Ganwyd ym 1922 ym Merlin, yn ŵyr i Sigmund Freud. Symudodd y teulu i Brydain ym 1933 a daeth Freud yn ddinesydd Prydeinig ym 1939. Aeth i Ysgol Dartington Hall a'r Central School of Arts and Crafts cyn ymuno â'r EASPD ym 1939, lle'r oedd yn agos iawn at ei gyd-fyfyrwyr David Carr a David Kentish (y cydweithiodd ag ef ar nifer o weithiau).

Roedd cyfnod Freud yn yr EASPD yn ffurfiannol. Yn ddi-os, Morris oedd y dylanwad pwysicaf ar ei waith cynnar – ac mae llawer o'r pynciau yr ymdriniai â hwy yn y cyfnod hwn i'w gweld hefyd yn ei waith diweddarach. Er enghraifft, mae testunau ei baentiadau – portreadau, bywyd llonydd, adar ac anifeiliaid – a'r driniaeth flaen ohonynt yn ogystal â chonsýrn ag ansawdd yr arwyneb, oll yn adleisio Morris. Mae portreadaeth Freud yn arbennig o ddyledus i'r enghraifft roddai Morris yn ei ddefnydd o arsylwi pwyllog i greu ymdeimlad anesmwyth o archwilio seicolegol, a hyd yn oed anhwylder.

Ym 1941, ymunodd Freud am gyfnod byr â'r llynges fasnachol; erbyn 1941 roedd yn Llundain, yn rhannu fflat gyda'r paentiwr John Craxton. Yn y cyfnod hwn daeth ei waith yn fwy amlwg swrrealaidd (gweler er enghraifft *Harbwr Dinbych y Pysgod* 1944 (rhif 94) sy'n anthropomorffeiddio ffurfiant creigiau yn yr harbwr), er i'r diddordeb hwn fod yno ers y 1930au hwyr.

Mae gyrfa ddiweddarach Freud wedi'i chofnodi'n helaeth. Ym 1981 cyfrannodd ragair i gatalog arddangosfa Morris yn Blond Fine Art, gan ysgrifennu 'Dysgodd Cedric fi i baentio ac yn bwysicach i ddal ati. Ni ddywedai lawer, ond gadawodd i mi edrych arno yn gweithio. Rwyf i wastad wedi edmygu ei baentiadau a phopeth amdano'. Yn fwy diweddar dywedodd wrth William Feaver: 'Roeddwn i'n meddwl fod Cedric yn baentiwr go iawn. Dwys a hynod. Cyfyngiadau dychrynllyd'.

Detholiad o Arddangosfeydd

1944 Oriel Lefevre, Llundain

1974 Arddangosfa adolygol a drefnwyd gan
Gyngor y Celfyddydau: Oriel Hayward,
Llundain a thaith

1987-88 *Lucian Freud Paintings*,
arddangosfa adolygol a drefnwyd gan y
Cyngor Prydeinig: Amgueddfa a Gardd
Cerflunwaith Hirschorn, Washington DC;
Musée National d'Art Moderne, Paris; Oriel
Hayward, Llundain; Neue Nationalgalerie,
Berlin

1997 *Early Works*, Oriel Genedlaethol
Celfyddyd Fodern yr Alban, Caeredin

2002-03 Tate Britain, Llundain; La Caixa,
Barcelona; LACMA, Los Angeles

Llyfryddiaeth Ddethol

Lucian Freud 'Some Thoughts on Painting',
Encounter Mis Gorffennaf 1954 Cyf 3 Rhif 1
tud 23

Laurence Gowing, *Lucian Freud* Thames &
Hudson 1982

Bruce Brenard a Derek Birdsall, *Lucian
Freud* Jonathan Cape 1996

Richard Calvocoressi, *Lucian Freud: Early
Works* cat. ardd., SNGMA Caeredin 1997

William Feaver, *Lucian Freud* cat. ardd.,
Tate 2002

91. Lucian Freud, *Menyw â Chariadon a Wrthodwyd*, 1939

92. Lucian Freud, *Cedric Morris*, 1940

93. Lucian Freud, *Atgof o Lundain*, 1940

94. Lucian Freud, *Harbwr Dinbych y Pysgod*, 1944

Glyn Morgan g.1926

Bywgraffiad

Ganwyd Glyn Morgan ym 1926 ym Mhontypridd, ac astudiodd yn Ysgol Gelfyddyd Caerdydd gyda Ceri Richards o 1942-4 ac Ysgol Gelfyddyd Camberwell o 1947-8. Cyflwynwyd Morgan i Morris ym 1943 gan Esther Grainger, oedd ar y pryd yn dysgu yn Sefydliad Pontypridd. Ymwelodd â Benton End yn ystod haf 1944. Dywedodd Morris wrtho 'Mae gennych synnwyr lliw gwarthus, felly fe allech chi fod yn baentiwr'. O hynny ymlaen ymwelodd Morgan yn gyson â Benton End hyd nes i Morris farw, ac yn y pen draw symudodd i Hadleigh ym 1995.

Roedd Morris yn ddylanwad mawr ar waith cynnar Morgan, ond yn dilyn blwyddyn yn byw ym Mharis ym 1951, pan ddaeth i fod â diddordeb yn y mynegiant o ofod a golau yng ngwaith Bonnard a Braque (fel y gwelir yn *Bywyd Llonydd gyda Photyn Tsieineaidd* 1961 (rhif 97) dechreuodd ei waith symud oddi wrth waith ei athro. Ym 1968 dyfarnwyd Cymrodoriaeth Cwmni Goldsmiths iddo i weithio ac astudio yng Nghreta. Yn dilyn hynny daeth ei baentio yn fwy haniaethol a dychmygus, yn defnyddio lliw a ffurfiau symbolaidd i fynegi ymdeimlad o le, ac i gynrychioli testunau a dynnwyd o fytholeg glasurol, fel yn *Bwrdd Minos VI* 1971 (rhif 98).

Mae gwaith diweddarach Morgan wedi canolbwyntio ar dirwedd Lloegr a Chymru, yn benodol tirwedd Swydd Suffolk a Chwm Llanddewi Nant Hodni yng Nghymru y mae wedi bod yn eu paentio ers dros ugain mlynedd. Fel yn y gwaith Cretaidd, ei ddiddordeb yw cyfuno topograffeg â dynwarediadau o fyd sydd y tu hwnt i wirionedd gweladwy. Mae enghreifftiau o Paul Nash, Graham Sutherland a Ceri Richards i'w gweld yn ei ymdriniaeth o themâu sy'n amlwg yn 'frodorol' neu yn Geltaidd: y Dyn Gwyrdd, meini hirion, ac eiliadau llawn ystyr yn y calendr fel heulsafiad neu eclips.

Detholiad o Arddangosfeydd

1969 Oriel Drian, Llundain

1971 The Minories, Caer Colun

1985 Oriel Archway, Houston, Texas

1996 *The Green Man*, Orielau Chappel, Essex

1997 *Arddangosfa Adolygol, Y Tabernacl, Yr Amgueddfa Gymreig o Gelfydd Fodern, Machynlleth*

1998 Amgueddfa ac Oriel Brycheiniog, Aberhonddu

1998, 2001 Orielau Chappel, Essex

Llyfryddiaeth Ddethol

Ronald Blythe, *A Vision of Landscape: The Art of Glyn Morgan*, Monograff Chappel 2001

95. Glyn Morgan, *Cedric Morris yn ei Ardd*, c.1957

97. Glyn Morgan, *Bywyd llonydd â Photyn Tsieineaidd*, 1961

98. Glyn Morgan, *Bwrdd Minos VI*, 1971

Maggi Hambling g.1945

Bywgraffiad

Ganwyd Maggi Hambling yn Sudbury ym 1945 ac fe'i magwyd yn Hadleigh, Swydd Suffolk. Cyfarfu Morris a Lett Haines am y tro cyntaf ym 1960, a dechreuodd baentio yn Benton End yn ystod y gwyliau haf. Astudiodd yn Ysgol Gelfyddyd Ipswich gyda Laurence Self a Bernard Reynolds o 1962-4, ac o 1964-7 yn Ysgol Gelfyddyd Camberwell, gyda'r paentiwr Robert Medley. Ym 1967-9 astudiodd yn Ysgol Gelfyddyd Slade, lle bu'n arbrofi â chelfyddyd cysyniadol a pherfformio. Dyfarnwyd Gwobr Teithio Boise iddi ym 1969 a threuliodd amser yn Efrog Newydd. Dychwelodd i baentio ym 1972, gyda chyfres glodfawr o bortreadau o'i chof, o yfwyr unigol mewn tafarnau.

Mae Hambling wastad wedi ystyried mai Lett oedd ei mentor. Yn Benton End fe'i helpai yn y gegin lle mae'n dweud iddi ddysgu ei gwers bwysicaf: 'Dysgodd fod yn rhaid i'ch gwaith gael y flaenoriaeth yn eich bywyd. Dywedodd hefyd (fod rhaid i chi) fynd i berthynas lle mae eich gwaith yn ffrind gorau i chi, y gallwch fynd ato waeth pa mor isel eich ysbryd ydych chi, waeth pa mor hapus ydych chi. Beth bynnag eich cyflwr, gallwch fynd at eich gwaith a chael sgwrs ag ef'. (*Towards Laughter* tud 16).

Tra bod Hambling yn fwyaf adnabyddus am ei phortreadau mae'n debyg (mae Max Wall, George Melly, Dorothy Hodgkins, Stephen Fry ac A. J. P. Taylor yn yr Oriel Bortreadau Genedlaethol), mae hi, fel Lett, wedi parhau yn aflonydd o ddyfeisgar. Ym 1992 dechreuodd wneud cerflunwaith, yn gyntaf mewn clai wedi'i danio ac yna mewn efydd. Ym 1998 dadorchuddiwyd ei chofeb i Oscar Wilde yng Nghanol Llundain. Yn ddiweddar mae wedi paentio, darlunio a cherflunio dwy gyfres o bortreadau o'i thad a Henrietta Moraes.

Detholiad o Arddangosfeydd

1967 *Paintings and Drawings*, Oriel Hadleigh, Swydd Suffolk

1981 *Drawings and Paintings on View* Oriel Genedlaethol, Llundain

1983 *Pictures of Max Wall*, Oriel Bortreadau Genedlaethol, Llundain

1987 *Maggi Hambling*, Oriel Serpentine, Llundain

1991 *An Eye Through a Decade 1981-1991*, Canolfan Gelfyddyd Brydeinig Yale, New Haven

1996 *Sculpture in Bronze*, Marlborough Fine Art, Llundain

2001 *Father*, Oriel Morley, Llundain

2001 *Henrietta Moraes* Marlborough Fine Art, Llundain

Llyfryddiaeth Ddethol

Mel Gooding, *An Eye Through a Decade* cat. ardd., Canolfan Gelfyddyd Brydeinig Yale 1991

George Melly a Judith Collins, *Towards Laughter* cat. ardd., Northern Centre for Contemporary Art/Lund Humphreys 1993

Andrew Lambirth, 'Moments of laughter and death' yn *Father* cat. ardd., Oriel Morley, Llundain

John Berger, 'The 235 days' yn *Maggi and Henrietta: Drawings of Henrietta Moraes by Maggi Hambling* Bloomsbury 2001

100. Maggi Hambling, *Menyw Noeth yn Eistedd*, 1963

99. Maggi Hambling, *Rhinoseros, Amgueddfa Ipswich*, 1963

101. Maggi Hambling, *Gorsaf Ipswich*, 1963

106

102. Maggi Hambling, *Lett yn Chwerthin* , 1975-6

Rhestr o weithiau

Rhoddir y mesuriadau i gyd mewn centimetrau:
uchder x lled (x dyfnder)

Cedric Morris 1889-1982

1   *Hunan-bortread* 1919
Olew ar fwrdd 36.8 x 26.7
Amgueddfeydd ac Orielau Cenedlaethol Cymru

2   *Arthur Lett Haines* 1919
Olew ar gynfas wedi'i osod ar fwrdd 41.9 x 31.1
Mrs Gerald Cookson

3   *Tirlun yn Newlyn* 1919
Olew ar fwrdd 30.5 x 34
Dominic Wakefield

4   *Rosa Wenslowska* 1922
Olew ar gynfas 55 x 46
Ystâd Cedric Morris

5   *Patisseries a Croissant* c.1922
Olew ar gynfas 35.9 x 32.7
Tate, Llundain

6   *Arbrawf ag Ansawdd* 1923
Olew ar gynfas 50.1 x 59
Tate, Llundain

7   *Modryb Euraidd* 1923
Olew ar gynfas 66 x 82
Ystâd Cedric Morris

8   *Mary Butts* 1924
Olew ar fwrdd 68.2 x 56
Ystâd Cedric Morris

9   *Morwr yn Dawnsio* 1925
Olew ar gynfas 104.1 x 104.1
Mary Rose Tatham

10 *Yr Ymwelydd o'r Swistir* 1925
Olew ar fwrdd 81.3 x 64.7
Amgueddfeydd Chelmsford (Cyngor Bwrdeistref Chelmsford)

11 *Paul Odo Cross* 1925
Olew ar gynfas 61 x 51
Ystâd Cedric Morris

12 *Bywyd Llonydd gyda Blodau* 1926
Olew ar gynfas 49 x 60
Oriel Redfern, Llundain

13 *O Ffenestr Ystafell Wely yn 45 Brook Street, W.1.* 1926
Olew ar fwrdd 91.4 x 122
Amgueddfeydd ac Orielau Cenedlaethol Cymru

14 *Halcyon* 1927
Olew ar gynfas 51 x 66
Ystâd Cedric Morris

15 *Adar yr Awyr* 1928
Olew ar fwrdd 98.5 x 117
Dominic Wakefield

16 *Bryn Llanmadog, Penrhyn Gŵyr* 1928
Olew ar gynfas 65.4 x 81.2
Dinas a Sir Abertawe, Casgliad Oriel Gelf Glynn Vivian

17 *Nancy Morris* 1929
Olew ar gynfas 50.5 x 25.4
Ystâd Cedric Morris

18 *Hunan-bortread* c.1930
Olew ar gynfas 72.7 x 48.9
Yr Oriel Bortreadau Genedlaethol, Llundain

19 *Tiwlip Du* c.1930
Olew ar gynfas 48 x 43
Hilary Wakefield

20 *Gorlifiant Afon Stour* 1930
Olew ar gynfas 63.5 x 76.2
Amgueddfeydd ac Orielau Cyngor Bwrdeistref Ipswich

21 *Rosamund Lehmann* 1932
Olew ar gynfas 52 x 39
Sebastian Wakefield

22 *Floreat* 1933
Olew ar gynfas 142.2 x 111.7
Amgueddfa Castell Cyfarthfa, Merthyr Tudful

23 *Solfach* 1934
Olew ar gynfas 60.4 x 73
Amgueddfa ac Oriel Castell Norwich

24 *Y Chwiorydd (Y Dosbarthiadau Uwch Seisnig)* 1935
Olew ar gynfas 76 x 63.5
Ystâd Cedric Morris

25 *Miss Thomas* 1935
Olew ar gynfas 45.5 x 40.5
Ystâd Cedric Morris

26 *Swyddfa'r Post Caeharris, Dowlais* 1935
Olew ar gynfas 62.2 x 76.2
Gyda chaniatâd Amgueddfa ac Oriel Castell Cyfarthfa, Merthyr Tudful

27 *Y Tipiau* 1935
Olew ar gynfas 64.8 x 78.8
Gyda chaniatâd Amgueddfa ac Oriel Castell
Cyfarthfa, Merthyr Tudful

28 *Antonia White* 1936
Olew ar gynfas 49 x 42
Yr Oriel Bortreadau Genedlaethol, Llundain

29 *Betty Addison* 1936
Olew ar gynfas 61 x 51
Mary Rose Tatham

30 *David a Barbara Carr* c.1940
Olew ar gynfas 100.3 x 74.5
Tate, Llundain

31 *Lucian Freud* 1940
Olew ar gynfas 73 x 60.2
Tate, Llundain

32 *David Carr* c.1941
Olew ar gynfas 52.5 x 42
Casgliad preifat, gyda chaniatâd Oriel Redfern,
Llundain

33 *Gellesg* 1941
Olew ar gynfas 90.8 x 101
Casgliad preifat

34 *Eginblanhigion Gellesg* 1943
Olew ar gynfas 122 x 91.7
Tate, London

35 *Yr Wyau* 1944
Olew ar gynfas 61.5 x 43.2
Tate, Llundain

36 *Gardd Adeg Rhyfel* c.1944
Olew ar gynfas 61 x 76.5
Ystâd Cedric Morris

37 *Blodau mewn Potyn o Foroco* 1947
Olew ar gynfas 69.2 x 43.2
Dominic Wakefield

38 *Glyn Morgan* 1949
Olew ar gynfas 61 x 46
Casgliad preifat

39 *Aderyn Du a Blodau* 1952
Olew ar gynfas 65 x 109
Ymddiriedolaeth Jerwood

40 *Ratatouille* 1954
Olew ar gynfas 76 x 52
Dominic Wakefield

41 *Tirlun Cywilydd* c.1960
Olew ar gynfas 75 x 100
Tate, Llundain

42 *Cwins Tsieineaidd* 1963
Olew ar gynfas 90 x 121
Hilary Wakefield

43 *Millie wrth Fwrdd* 1966
Olew ar gynfas 68.5 x 48.2
Mary Rose Tatham

44 *Blodau Mewn Potyn Glas* 1966
Olew ar gynfas 72.5 x 51
Sebastian Wakefield

45 *Capanau Cornicyll* 1975
Olew ar gynfas 41 x 66
Sebastian Wakefield

Gweithiau ar Bapur

46 *Golygfa Café* 1921
Pensil 35 x 24.5
Ystâd Cedric Morris

47 *Golygfa Café* c.1921
Pensil 34.5 x 24
Ystâd Cedric Morris

48 *Golygfa Café* c.1921
Pensil 35 x 24
Ystâd Cedric Morris

49 *Bywyd Llonydd* 1921
Pwyntil Arian 25 x 19.5
Ystâd Cedric Morris

50 *Café Rhufeinig* 1922
Pen ac Inc 31.8 x 31.2
Amgueddfeydd ac Orielau Cenedlaethol Cymru

51 *Fascists in Rome* 1922
Siarcol 29 x 24
Ystâd Cedric Morris

Lett Haines 1894-1978

52 *Portread o Frances Hodgkins* c.1919
Siarcol 24 x 20
Dr Ronald Blythe

53 *Hen Orsaf Rheilffordd Brighton* 1920
Cyfrwng cymysg ar bapur 47 x 62.9
Casgliad preifat

54 *Etude pour Sculpture en Bois* 1920
Sialc Du 31 x 22.9
Oriel Redfern, Llundain

55 *Pwerau yn Gwywo* 1922
Inc, dyfrlliw a sialc ar bapur 45.9 x 43.6
Tate, Llundain

56 *Cyfansoddiad* c.1922
Cyfrwng cymysg ar bapur 46 x 63
Casgliad preifat

57 *Cyfansoddiad* 1922
Cyfrwng cymysg ar bapur 47 x 60
Robert Short

58 *Cyfansoddiad* 1923
Dyfrlliw ar bapur 47 x 47
Casgliad preifat

59 *Difyrrwch* 1922
Gouache 35.6 x 45.7
Cymdeithas Gelfyddyd Caer Colun

60 *Astudiaeth o Cedric Morris* 1925
Pencil 35.6 x 24.6
Amgueddfeydd ac Orielau Cenedlaethol Cymru

61 *Astudiaeth o Cedric Morris (yn lledorwedd)* 1925
Pensil 24.6 x 35.6
Amgueddfeydd ac Orielau Cenedlaethol Cymru

62 *Yr Helfa Lewod 1929*
Mixed media on paper 46.4 x 62.2
Casgliad preifat

63 *Y Ddihangfa* 1931
Cyfrwng cymysg ar bapur 47 x 61
Casgliad preifat

64 *Y Ceffyl Tywyll* 1934
Dyfrlliw a chyfrwng cymysg 47.8 x 62.7
Tate, Llundain

65 *Jeunes Filles aux Fleurs* 1935
Gouache 75 x 55
Casgliad preifat
(Norwich yn unig)

66 *Merthyrdod Purple Hampton* 1955
Dyfrlliw 36.4 x 24.9
Casgliad preifat

67 *Di-deitl* (Cyfansoddiad gyda Blodau a Ffigurau) 1957
Pensil a Dyfrlliw ar bapur 35 x 25
Dr Ronald Blythe

68 *Di-deitl (Darlun Awtomatig)* c.1965
Cyfrwng cymysg ar bapur 25 x 35
Casgliad preifat

69 *Dolly Druan* 1966
Dyfrlliw 24.8 x 34.3
Casgliad preifat

70 *Vue d'une Fenêtre* 1967
Dyfrlliw 72.4 x 72.4
Oriel Redfern, Llundain

Cerfluniau

71 *Duwiau'r Llyn (Tunisia)* 1925
Pren 17.5 x 26 x 14
Andrew a Julia Murray

72 *Cacen Fwd* c. 1930
Pren wedi'i baentio 17.5 x 14 x 13
Andrew a Julia Murray

73 *Regardant* 1959
Asgwrn a chyfrwng cymysg 17.5 x 15.7 x 10.3
Casgliad preifat

74 *Ffetis Gwrach (Portread o Maggi)* 1962
Asgwrn, pren a gwydr 14 x 4.8 x 9.3
Casgliad preifat

75 *Flint Desirable* d.d.
Fflint a chyfrwng cymysg 13 x 11 x 11
Oriel Redfern, Llundain

76 *Moronen wedi'i Phobi* d.d.
Moron a chyfrwng cymysg 24 x 12 x 12
Oriel Redfern, Llundain

77 *Petit Sculpture (Gellygen y Ddaear)* d.d.
Gellygen y Ddaear a chyfrwng cymysg 12.5 x 21 x 11
Oriel Redfern, Llundain

78 *Ffetis i achosi marwolaeth drwy chwerthin* d.d.
Cyfrwng cymysg 20 x 9.5 x 9.5
Redfern Gallery, London

79 *Petit Sculpture (Câs Sigarennau a Phenglog Aderyn)* d.d.
Cyfrwng cymysg 3.5 x 6 x 11
Oriel Redfern, Llundain

80 *Ensemble du Banquet* d.d.
Esgyrn a chyfrwng cymysg 14 x 19 x 11
Oriel Redfern, Llundain

Frances Hodgkins 1869-1947

81 *Dyn â Macaw (Portread o Cedric Morris)*1930
Olew ar gynfas 63.5 x 53
Oriel Gelfyddyd Towner, Eastbourne

82 *Melin Flatford* 1930
Olew ar gynfas 72.4 x 76.2
Tate, Llundain

Lucy Harwood 1893-1972

83 *Bywyd Llonydd â Physgod* c.1940
Olew ar gynfas 61 x 77
Amgueddfeydd ac Orielau Cyngor Bwrdeistref
Ipswich

84 *Tirlun â Gwylanod* d.d.
Olew ar gynfas 61 x 51
Amgueddfeydd ac Orielau Cyngor Bwrdeistref
Ipswich

85 *Yr Arwydd* d.d.
Olew ar gynfas 51 x 61
Casgliad preifat

86 *Aros i Hetty….* d.d.
Siarcol a chreon ar bapur 47 x 36
Casgliad preifat

87 *….ac fe ddaeth* d.d.
Siarcol a chreon ar bapur 64.5 x 56.5
Casgliad preifat

David Carr 1915-68

88 *Dwy Fenyw a Bywyd Llonydd* c.1946
Olew ar gynfas 88.9 x 127
Casgliad Christopher Marshall, Christchurch, Seland
Newydd

89 *Hunan-bortread* c.1947
Olew ar gynfas 76.2 x 59.1
Oriel Gelfyddyd Ferens: Amgueddfa ac Oriel
Gelfyddyd Dinas Hull

90 *Dyn a Pheiriant VI* c.1952
Olew ar gynfas 60.6 x 51.1
Casgliad preifat

Lucian Freud g.1922

91 *Menyw â Chariadon a Wrthodwyd* 1939
Olew ar gynfas 60.9 x 50.8
Casgliad preifat

92 *Cedric Morris* 1940
Olew ar gynfas 30.5 x 25.4
Amgueddfeydd ac Orielau Cenedlaethol Cymru

93 *Atgof o Lundain* 1940
Olew ar gynfas 76.5 x 63.5
Casgliad preifat gyda chaniatâd Oriel Timothy
Taylor, Llundain

94 *Harbwr Dinbych y Pysgod* 1944
Creon, siarcol a dyfrlliw 41.3 x 51.5
Amgueddfeydd ac Orielau Cenedlaethol Cymru

Glyn Morgan g.1926

95 *Cedric Morris yn ei Ardd* c.1957
Olew ar gynfas 50.8 x 63.5
Amgueddfeydd ac Orielau Cyngor Bwrdeistref Ipswich

96 *Yr Ardd yn Benton End* c.1960
Olew ar gynfas 61 x 32
Casgliad yr artist

97 *Bywyd llonydd â Photyn Tsieineaidd* 1961
Olew ar gynfas 35.6 x 45.7
Casgliad preifat

98 *Bwrdd Minos VI* 1971
Olew ar gynfas 51 x 51
Casgliad yr artist

Maggi Hambling g.1945

99 *Rhinoseros, Amgueddfa Ipswich* 1963
Inc ar bapur 48.5 x 35
Yr Artist

100 *Menyw Noeth yn Eistedd* 1963
Ysgythriad 24.5 x 32.5
Yr Artist

101 *Gorsaf Ipswich* 1963
Ysgythriad 9 x 13
Yr Artist

102 *Lett yn Chwerthin* 1975-6
Olew ar gynfas 71 x 64.8
Mrs Gerald Cookson

103 *Lett yn Breuddwydio* 1975-6
Olew ar gynfas 168 x 128
Amgueddfeydd Chelmsford

Hawlfraint

Cydnabyddiaeth ffotograffau